Collection *Repères*
animée par Jean-Paul Piriou,

avec la collaboration de
Patrick Allard,
Marcel Drach,
Michel Freyssenet,
Hervé Hamon
et Olivier Pastré

1.99

D1622771

Claude J. Simon

LES BANQUES

Editions La Découverte
1, place Paul-Painlevé, Paris V^e
1987

Si vous désirez être tenu régulièrement informé de nos paru-
tions, il vous suffit d'envoyer vos nom et adresse aux Editions
La Découverte, 1, place Paul-Painlevé, 75005 Paris. Vous recevrez
gratuitement notre bulletin trimestriel **A la Découverte.**

Introduction

« Notre maison existait déjà quand Louis XIV est mort. *L'Etat..., c'est un peu nous* », explique un banquier dans le livre de Nancy Markham, *L'Argent des autres*. « Les banquiers m'écœurent », avoue Jacques Delors en juillet 1981. La banque est-elle donc si puissante ?

Pour le déposant titulaire d'un compte, le plus souvent un particulier, elle apparaît souveraine parce que riche. Beaucoup croient encore que la banque détient dans ses coffres l'équivalent en billets de tous les dépôts. La publicité de la Banque nationale de Paris au cours des années soixante-dix : « Votre argent m'intéresse » n'a pas contribué à clarifier, si ce n'est le débat (y a-t-il jamais eu débat sur le rôle des banques ?), du moins la perception des banques par leurs usagers.

Pour l'emprunteur, le plus souvent une entreprise, la banque apparaît puissante parce que dotée d'une espèce de droit de veto : si elle refuse ses crédits, adieu voiture, habitation, investissements ou simplement survie pour l'entreprise en difficulté.

Mais, dans tous les cas, la banque est mal connue, mystérieuse. Le « secret bancaire » qu'elle invoque constamment la rend plus que discrète, elle devient hermétique. Un esprit curieux peut parvenir, à partir des informations publiques et des articles de presse, à percer l'essentiel de la situation, des problèmes et de la stratégie des grandes entreprises industrielles et commerciales. Il n'en est pas de même des banques.

Le milieu est résolument fermé. Pourtant il n'est pas de secteur économique où les chiffres soient aussi abondants : la commission de contrôle des banques, le Conseil national du crédit publient régulièrement d'imposants tableaux de chiffres. Mais derrière ceux-ci, quelle réalité ? Il faut être *de* la banque et non pas *à* la banque (comme le sont certains politiques placés à la tête des banques nationalisées par le gouvernement) pour lever un coin du voile. Les comptes publics d'une banque sont presque indéchiffrables, même pour un spécialiste : ils additionnent francs, dollars et yens ; les bilans de fin d'année sont habillés (artificiellement gonflés ou dégonflés, selon les besoins, et l'on préfère pudiquement utiliser un terme anglo-saxon : le *window-dressing* pour désigner ce phénomène).

La banque est aussi l'un des secteurs où la formation est le plus étroitement contrôlée par les instances professionnelles. Les diplômes universitaires, notamment, y sont peu ou mal reconnus ; l'ITB (Institut des techniques bancaires) et le CESB (Centre d'étude supérieure des banques) sont les deux organismes « maison » qui constituent le point de passage quasi obligé pour la promotion.

Pourtant, aujourd'hui, face à la crise, la banque ne doit pas, ne peut pas rester dans sa coquille ; créancière *d'entreprises* et de *pays* en *difficulté,* elle devient elle-même fragile. Le rapport de la commission du IXe Plan présidée par François Bloch-Lainé, *Quels intermédiaires financiers pour demain ?,* conclut ainsi : « La situation actuelle : enviable mais fragile. »

Enviable certes, car au sein de l'économie française c'est encore l'un des rares secteurs réalisant des bénéfices et où les salariés estiment être à l'abri du chômage.

Fragile cependant, car les banques françaises, très internationalisées (54 % de la masse de leurs capitaux sont des devises ou correspondent à des opérations internationales), seraient au premier rang en cas de krach bancaire mondial. Or, si une crise financière mondiale n'est pas inéluctable, elle ne peut être totalement écartée.

Fragile également, car la révolution technologique qui s'amorce (télématique, monnaie électronique) va bouleverser la banque. Pour la première fois dans l'histoire, la technologie pénètre le domaine des activités de service et, là aussi, la banque est en première ligne.

La vie, l'organisation et le devenir de la banque sont donc aujourd'hui trop importants pour qu'elle reste un milieu fermé ; elle ne doit plus écœurer personne, ni un ministre de l'Economie, ni aucun d'entre nous.

Mais pour comprendre les banques françaises, il faut prendre du recul ; à la fois par rapport au temps (c'est la première partie de ce livre : l'histoire de la banque) et par rapport à l'espace (deuxième partie : les systèmes bancaires des principaux pays). Il faut aussi comprendre comment vit une banque, quelles sont ses activités et comment elle est gérée (troisième partie : la gestion bancaire) avant d'aborder les relations entre les banques et l'économie (quatrième partie) et surtout se tourner vers l'avenir : quelles banques demain ? (cinquième partie).

Bien qu'elles interfèrent constamment avec les problèmes bancaires, certaines questions relatives à la monnaie ou au personnel des banques n'ont pu qu'être effleurées dans le cadre de ce petit livre : elles mériteraient à elles seules un ouvrage particulier.

Première partie
L'histoire de la banque

I / Des origines au XVIIIe siècle : la lente genèse des banques

1. La banque a-t-elle existé avant la monnaie ?

Les premières opérations de banques apparaissent en Mésopotamie deux mille ans avant notre ère. Les « banquiers » reçoivent alors des dépôts soit en assurant une fonction de garde (nous dirions aujourd'hui location de coffre), soit à titre de placement à intérêts. Ces dépôts ne sont pas « translatifs » : un déposant ne peut pas régler un créancier par transfert, dans les comptes du « banquier », de tout ou partie de son dépôt ; ils ne constituent donc pas de la véritable monnaie. Les « banquiers » les emploient à accorder des prêts portant intérêts, généralement assortis de gages ou de cautions. Très rapidement, l'essor de la fonction impose la nécessité d'une réglementation. Hammourabi (roi de Babylone de 1955 à 1913 avant notre ère) édicte un code qui fixe des taux et conditionne l'octroi des prêts à un contrôle préalable des fonctionnaires royaux.

Le caractère bancaire de ces opérations est controversé. D'abord parce que les opérations concernées ne portent pas sur de la monnaie, mais sur des biens précieux. Ensuite par l'absence de la fonction essentielle que constitue la gestion des moyens de paiement (on désigne ainsi actuellement tout le travail bancaire qui consiste notamment à tenir les comptes, assurer le traitement des chèques). Nous y reviendrons plus loin.

Si ces dépôts avaient été translatifs, c'est-à-dire si les sommes en comptes avaient pu être transférées d'un compte à un autre par virement ou chèque, ils seraient alors devenus une véritable monnaie gérée par le dépositaire qui eût été alors un véritable banquier. En revanche, ces premiers « banquiers » assument déjà le rôle essentiel qui consiste à servir d'intermédiaire entre les détenteurs de richesses (à défaut de monnaie) et les emprunteurs. Selon les classifications actuelles, on peut dire qu'il ne s'agit pas de banques, mais d'établissements financiers.

2. La véritable naissance des banques en Grèce et à Rome

L'apparition de la monnaie frappée (VIIe siècle avant notre ère) et le développement du commerce méditerranéen favorisent l'émergence d'une nouvelle opération bancaire : le change. Dans les ports grecs, les *trapézistes* — du nom de leur comptoir appelé « trapèza » — assurent le change entre les différentes monnaies. L'écriture permet également un développement important de leur fonction : ils tiennent les comptes de leurs clients et leurs permettent d'effectuer des règlements par virement de compte à compte ou même par chèque. Les « trapézistes » sont donc de véritables banquiers au sens actuel du terme ; ils remplissent la plupart des fonctions de la banque moderne : dépôts, crédit, change, création de monnaie scripturale (par l'existence de comptes courants et la transférabilité des sommes qui y sont inscrites).

L'Egypte, plus étatique, copie les « trapézistes » grecs mais constitue des banques royales (telle la puissante banque royale d'Alexandrie) dotées d'un monopole. Il fallut attendre la domination romaine pour que des banques privées puissent exister parallèlement aux banques publiques.

A Rome, les *argentarii* commencent par être des changeurs puis se développent rapidement pour assurer toutes les fonctions classiques des banques : dépôts, crédits, tenue des comptes (les banquiers devaient envoyer des arrêtés de comptes à leurs clients) et service de chèques *(praescriptio)*. La

République puis l'Empire créent également des banques *(mensae)* chargées, notamment, de recueillir les impôts collectés.

Point important : « trapézistes » et *argentarii* réalisent toutes les opérations de banque de leur époque ; il n'y a pas de division du travail bancaire ; les uns et les autres constituent ce que nous appellerions aujourd'hui des banques universelles.

3. Le Moyen Age : les débuts de la spécialisation bancaire

Le repli de l'économie sur elle-même au cours du haut Moyen Age (VIIIᵉ-XIᵉ siècle) et l'insécurité font reculer les institutions bancaires.

La fin du Moyen Age (XIᵉ-XVᵉ siècle) voit en revanche le renouveau du grand commerce, notamment au travers de foires telles que celles de Champagne. L'essor des échanges, entre l'Europe du Nord et l'Europe du Sud et la poursuite du commerce méditerranéen entraînent le développement des banques. Ce commerce international favorise également l'évolution des techniques ; l'une est promise à un grand avenir : la lettre de change ; née vers le XIVᵉ siècle, elle n'est pas à l'origine un moyen de crédit, mais seulement un procédé de règlement international. La lettre de change suppose l'intervention de trois ou quatre personnes :
— le tireur, commerçant créancier (généralement vendeur) ;
— le tiré, commerçant débiteur dans un autre pays, client du tireur ;
— le preneur, généralement banquier du tireur ; il est chargé d'obtenir l'argent du tiré pour le remettre au tireur ;
— le bénéficiaire (ultérieurement on dira l'endossataire, mais l'endossement n'apparaîtra qu'au XVIIᵉ siècle) est généralement aussi un banquier, correspondant du preneur dans une autre ville ou pays.

Sans la lettre de change il aurait fallu un transfert physique de fonds entre le tiré et le tireur et une opération de change. La lettre de change va substituer à cette opération physique trois opérations en compte :
— le preneur (banquier) verse au compte du tireur (commer-

çant vendeur) la somme correspondante dans la monnaie du tireur ;

— le tiré (commerçant acheteur) règle le bénéficiaire dans sa propre monnaie (mais ce règlement peut s'effectuer par simple virement en compte) ;

— le preneur (banquier) inscrira dans ses livres une créance sur le bénéficiaire (autre banquier) et en échange enverra la lettre de change à celui-ci. Si le preneur et le bénéficiaire sont des correspondants dans deux villes ou deux pays, les opérations entre eux auront tendance à se compenser. L'éventuel transfert de fonds ne se fera que pour un solde.

La lettre de change facilite donc les règlements de place à place, mais fait naître une nouvelle opération qui va favoriser le développement des banques.

Une autre évolution des pratiques renforce le pouvoir des banquiers : progressivement, les opérations deviennent moins formelles et les usages commerciaux consacrent le contrat privé au détriment de l'acte notarié. Ainsi la lettre de change, initialement passée devant notaire, évolue pour limiter son intervention en cas de non-paiement par le tiré. Là encore, les banques occupent un nouvel espace : elles participent à la fixation de ces usages qui leur confèrent de fait des fonctions antérieurement occupées par les notaires.

Tous les banquiers européens utiliseront ces nouvelles techniques et bénéficieront de ce développement de leur fonction. Mais selon les régions on voit déjà se dessiner différents systèmes bancaires.

Dans le nord de l'Europe, apparaît la division du travail au sein de la profession. Au bas de l'échelle, il y a les changeurs qui effectuent sur leur table le change manuel lors des marchés et des foires. Au-dessus des changeurs, il y a les Lombards ou les Cahorsins qui sont surtout des prêteurs sur gages, n'hésitant pas à pratiquer des taux usuraires pour les prêts à court terme à la consommation. Au sommet, il y a les négociants internationaux ; ce sont des cambistes qui opèrent essentiellemment par lettre de change.

Dans l'Europe méditerranéenne, la division est moindre et les banques sont plus universelles ; elles pratiquent l'ensemble des opérations : dépôts, crédits, virements. Mais tous les

12

banquiers italiens ne traitent pas le même volume d'affaires. Les petits opèrent sur leur banc (*banca*, qui deviendra banc, d'où l'origine du mot banque) et travaillent dehors (*all'aperto*). Les grands banquiers, comme les Médicis ou les Bardi à Florence, officient dans leur maison ou palais (*d'entro*) et prêtent même aux rois. Il y a également des banques dites publiques telle la *Casa di San Giorgio* à Gênes qui, outre les fonctions de banque privée, gère la dette publique et se fait affermer (c'est-à-dire confier pour les gérer) les ressources municipales : gabelles, monopole du sel ; sa puissance deviendra telle qu'elle dominera ou plutôt s'identifiera progressivement à l'Etat (possession de colonies telles que la Corse, droit de lever des taxes et de se rendre justice).

En France, pour reprendre le vocabulaire actuel, on peut dire que le développement se fait davantage au profit de financiers que de banquiers.

Ce sont d'abord les Templiers, ordre monastique fondé en 1119, qui utilisent leurs grandes richesses (fonds propres et non dépôts de clientèle) pour financer l'agriculture mais aussi l'Etat (pour les Croisades notamment). Les dépôts qu'ils reçoivent à titre de garde ou de séquestre ne sont pas à proprement parler des comptes permettant des virements ou constituant la ressource des crédits qu'ils accordent ; c'est d'ailleurs le déposant qui doit payer un droit de garde et non les Templiers qui paient un intérêt. Mais la puissance des Templiers menace celle de l'Etat et Philippe le Bel dissout l'Ordre en 1313. On pourrait presque déjà parler d'une nationalisation.

Plus tard, au XVe siècle, une évolution similaire se renouvelle avec Jacques Cœur. Industriel, commerçant, armateur, Jacques Cœur devient également financier et homme politique. Sa puissance est un danger pour l'Etat, ce qui conduit Charles VII à le « nationaliser » en 1451.

4. Les Temps modernes (XVIe au XVIIIe siècle) : le développement des places financières et les débuts de la monnaie papier

L'essor économique de cette période va favoriser le renforcement des positions acquises, ou perdues, à la fin du Moyen Age.

Le retard de la France en matière bancaire et de négoce international s'accentue. Au début du XVIᵉ siècle, la seule foire internationale qui subsiste sur le territoire français est celle de Lyon, mais ce sont essentiellement des banques allemandes ou italiennes qui y opèrent. De plus les guerres de Religion provoquent l'exode des protestants et, simultanément, la chute de la place de Lyon et la naissance de Genève comme plaque tournante des mouvements internationaux de capitaux.

L'Europe du Nord continue sa tradition de spécialisation en bénéficiant de sa situation maritime et de l'exode des protestants après les guerres de Religion et surtout après la révocation de l'édit de Nantes (1685). Anvers crée la première Bourse des valeurs mobilières en 1531 et acquiert la prééminence pour l'assurance maritime.

Amsterdam profite également de la décadence de Lyon et s'affirme comme l'une des toutes premières places bancaires et financières d'Europe. La Banque d'Amsterdam (Amsterdamsche Wisselbank) ne reçoit, elle, de dépôts qu'en métaux précieux.

L'Allemagne sait plus tôt que les autres pays mobiliser l'épargne de toutes les classes de la population par le service d'un intérêt fixe garanti. On doit d'ailleurs aux banquiers allemands l'invention des jours de valeur (voir troisième partie, chapitre I) et l'amélioration de la technique de calcul des intérêts (méthode dite hambourgeoise). Les puissantes banques de Hambourg et de Nuremberg sont contrôlées par leurs municipalités et donc considérées comme publiques.

En Italie, la Banque de Venise (Banca della Piazza del Rialto) se développe notamment par l'utilisation d'une nouvelle technique : elle remet aux déposants des *récépissés* portant intérêts mais *surtout établis au porteur*. Si ces récépissés constituent l'équivalent de nos bons de caisse actuels, ils sont en fait les prémices de nos billets de banque et de la monnaie papier.

Ce système est repris et perfectionné en Angleterre et en Suède. Les banquiers-orfèvres anglais divisent les certificats de dépôts en coupures d'un montant égal (les *goldsmiths notes*), ce qui facilite leur circulation. La Banque de

Stockholm délivre également, à partir de 1650, des billets au porteur en contrepartie des dépôts. Deux transformations supplémentaires en font la première « banque de circulation » :

— ces billets ne produisent pas d'intérêts, ce qui simplifie leur circulation ;

— l'utilisation par les banques des fonds ainsi collectés, notamment en prêts fonciers et immobiliers, est rendue possible par la circulation de ces billets comme moyen de paiement ce qui diminue les demandes de remboursement.

La Banque de Stockholm est donc généralement considérée comme la première banque de circulation ou, comme nous dirions aujourd'hui, d'émission. Les premières difficultés qu'elle connaît en 1668 la font se transformer en banque royale, c'est-à-dire en établissement public. Ultérieurement, une trop grande émission de billets conduira à sa faillite en 1776.

En France, John Law (fils d'un banquier-orfèvre britannique) reprend l'idée de la monnaie papier et fonde en 1716 une banque privée : la Banque générale. Mais à la différence de la Banque d'Amsterdam et des banquiers-orfèvres britanniques, la monnaie émise par la Banque générale n'est pas gagée sur des métaux précieux — immédiatement réalisables —, mais sur des titres de dette publique ou sur des concessions d'Etat au travers de la Compagnie des Indes : exploitation de la Louisiane, puis des Antilles, du Sénégal et du Canada, monopole des tabacs et recette générale des impôts directs.

Bien que son capital reste privé, la Banque générale devient donc rapidement une institution d'Etat ; elle prend d'ailleurs la dénomination de Banque royale en 1718.

On attribue généralement la chute du « système Law » (1720) à une excessive émission de billets et à une spéculation effrénée (agiotage) sur les actions de la Banque et de la Compagnie. En reprenant une analyse bancaire plus moderne, on peut estimer que le système Law fut surtout victime :

— d'une « transformation » excessive : les billets théoriquement remboursables à vue n'étaient pas gagés sur des actifs

à court terme mais à long terme (titres de dette publique, terres coloniales) ;
— de l'insolvabilité de son principal débiteur : l'Etat. Les finances royales étaient en effet désastreuses à la fin du règne de Louis XIV.

Mais la principale innovation, et le principal mérite, du « système Law », est de gager la création monétaire non plus sur des métaux précieux, mais sur un développement économique.

A la fin du XVIII° siècle, les principales fonctions bancaires, telles que nous les connaissons aujourd'hui, sont donc inventées :
— l'intermédiation entre les détenteurs de monnaie et les emprunteurs ;
— le change et le service de caisse ;
— la gestion des comptes et la création de la monnaie scripturale par la transférabilité des sommes portées en compte ;
— la création de la monnaie papier (ou fiduciaire).

Cette genèse a été lente. Les principaux facteurs de développement, et donc également de localisation des places financières et bancaires, ont été, d'une part, l'intensité du commerce (qui fait naître des besoins de règlement), et, d'autre part, les techniques bancaires elles-mêmes (lettre de change, tenue des comptes, monnaie papier...). Au cours de cette période se font déjà jour deux oppositions qui se maintiendront et sont encore actuelles :
— banques/Etat, avec des rapports de domination régulièrement remis en cause ;
— banques/non-banques (notaires, « établissements financiers » travaillant non pas avec des dépôts, mais avec leurs propres fonds) pour le partage des opérations de crédit.

Pendant un siècle et demi, il n'y aura plus de grande invention bancaire, mais seulement quelques perfectionnements. L'institution bancaire est donc prête à accompagner le développement économique des XIX° et XX° siècles.

II / XIXᵉ et XXᵉ siècles :
développement des banques
et de la tutelle de l'Etat

Le développement du libéralisme économique et politique à partir du XIXᵉ siècle assure le triomphe des banques. La monnaie scripturale ou fiduciaire devient privée et dès lors les banques détiennent — collectivement — le monopole de sa création et de sa circulation. Mais ce pouvoir considérable pose constamment le problème des rapports entre les banques et l'Etat, qui se traduit, parfois par des dominations dans un sens ou l'autre et, de façon plus durable, par des compromis en constante évolution.

1. Le développement de l'appareil bancaire

Trois facteurs importants favorisent le développement de la banque au cours des XIXᵉ et XXᵉ siècles :

• *L'évolution des moyens de paiement* : la monnaie métallique (pièces) est progressivement remplacée par la monnaie fiduciaire (billets), puis celle-ci, à son tour, se voit supplantée par la monnaie scripturale (en comptes). Les pourcentages ci-dessous, traduisant l'évolution des disponibilités monétaires (également appelées M1 en langage monétaire moderne) en France, montrent bien cette évolution.

Ce tableau fait ressortir la forte progression des billets (rôle de la banque centrale) jusqu'en 1950, puis sa décrue au cours des trente dernières années. Le développement de la

TABLEAU I. — EVOLUTION DES DISPONIBILITÉS MONÉTAIRES
EN FRANCE, 1789-1985
(en %)

	Monnaie métallique	Monnaie fiduciaire	Monnaie scripturale	Total
1789	96	4	—	100,0
1845	82	8	10	100,0
1870	68	18	14	100,0
1900	40	27	33	100,0
1913	34	21	45	100,0
1939	2,3	54,3	43,4	100,0
1950	0,4	43,5	56,1	100,0
1985	1	18	81	100,0

Source : [6] [1] et [9] pour 1985.

monnaie scripturale traduit l'augmentation de la part de marché des banques dans la gestion des moyens de paiement.

• *Le développement général de l'économie,* notamment sous la forme capitaliste, entraîne la nécessité d'un drainage efficace des capitaux et de leur circulation. On discute souvent sur le sens du lien de causalité : la qualité du réseau bancaire d'un pays entraîne-t-elle celle de son économie (conception de la banque « agent moteur ») ou inversement l'appareil bancaire est-il le résultat de l'infrastructure économique ? On peut estimer qu'il existe des interactions réciproques. Nous verrons d'ailleurs plus loin que ces interactions ne se limitent pas à des effets de volumes mais produisent également des effets qualitatifs sur la structure des systèmes bancaires. A titre d'exemple, notons simplement que la fonction internationale des banques anglaises et de la place de Londres va de pair avec le développement de l'empire britannique au XIXe siècle.

• *Le développement des échanges,* dû notamment à la

_____

1. Les chiffres entre crochets renvoient aux références bibliographiques rassemblées à la fin du livre.

division nationale et internationale du travail, est également un facteur important du développement bancaire. Là aussi l'effet qualitatif est important : la très importante internationalisation de l'économie française au cours des années soixante-dix s'accompagne de celle des banques françaises.

L'analyse comparative de ce développement des banques pour les principaux pays occidentaux (Grande-Bretagne, Allemagne, Etats-Unis, France) conduit à deux constats essentiels : l'émission prend progressivement la forme d'un monopole d'Etat dans chacun des pays et la tutelle de l'Etat sur l'ensemble du système bancaire national se renforce progressivement ; en revanche, la banque recouvre rapidement non pas *un* mais *des* métiers, que chaque pays organisera selon des caractéristiques propres, déterminant des systèmes ou structures bancaires spécifiques. Le mode d'organisation de la division du travail bancaire peut donc être localisé et daté, même si les évolutions sont lentes et si l'internationalisation actuelle des banques tend à homogénéiser les différents systèmes nationaux.

2. La constitution progressive des banques centrales

A l'origine, nous l'avons vu, l'émission de billets est une opération bancaire classique ; il s'agit simplement de substituer la remise d'un billet au porteur à l'inscription sur un compte lors d'un dépôt effectué par un client. A la fin du XVIIIe et au début du XIXe siècle, les banques, dites alors d'*émission,* se multiplient dans tous les pays puisque les billets présentent le double avantage d'être peu coûteux (ils diminuent les écritures en compte) et de procurer des ressources stables. En effet, tant que les porteurs de billets ont confiance dans la banque émettrice, ils n'éprouvent pas le besoin de se les faire rembourser. Il s'agit — pour la banque émettrice — de ressources, à vue certes, mais stables qui permettent donc, en contrepartie, des emplois longs et rémunérés par des taux élevés.

Deux phénomènes vont favoriser la concentration des

banques d'émission jusqu'à l'ultime étape où il n'en restera qu'une par pays, appelée dès lors Banque centrale.

En premier lieu, le développement de la circulation nationale des hommes : tant que les déplacements restent limités au niveau local, les billets émis par une banque d'émission locale sont connus et acceptés par tous. Le développement du chemin de fer, notamment en facilitant les déplacements, crée le besoin de billets nationalement reconnus. Cela est net dans le Royaume-Uni où la Banque d'Angleterre, fondée en 1694, acquiert une position dominante dans l'émission, confirmée par le *Banking Act* ou *Act* de Sir Robert Peel en 1844, qui lui concède le privilège, ou monopole, d'émission pour l'Angleterre. (Cet *Act* règle le conflit entre les tenants du *banking principle* selon lesquels la monnaie est gagée sur des circulations de marchandises — traites, billets — et les partisans du *currency principle* selon lesquels la monnaie est représentative de valeurs — métaux précieux — détenues par la banque ; ces derniers considèrent que l'*Act* consacre leur victoire.) Parallèlement, les régions plus reculées conservent des banques d'émission locales. Ainsi l'Ecosse avait encore au début du XXᵉ siècle onze banques dont dix d'émission. De même, en 1900, l'Irlande comptait encore six banques d'émission. (La Banque d'Ecosse a encore aujourd'hui le pouvoir d'émettre des billets différents de ceux de la Banque d'Angleterre mais à même pouvoir libératoire.) En France, le monopole d'émission ne sera donné à la Banque de France (créée en 1800) qu'en 1848. Elle n'est jusqu'à cette date que la banque d'émission parisienne et de l'Etat.

Le deuxième phénomène favorisant la concentration des banques d'émission est lié à l'intervention de l'Etat qui considère les billets comme un substitut aux pièces qu'il frappe et, surtout, monnayera son droit de conférer le monopole d'émission. Ainsi, l'*Act* de Sir Robert Peel fait de la Banque d'Angleterre la banque de l'Etat : elle est chargée du service de la dette nationale, elle peut émettre des billets gagés non sur des valeurs métalliques mais sur des bons du Trésor (c'est-à-dire sur des titres d'emprunts de l'Etat) ; en contrepartie de ce privilège d'émission, elle doit verser une redevance à l'Etat. La redevance comprend une partie fixe et une partie variable indexée sur les bénéfices et le volume des billets émis.

La Banque d'Angleterre servira de modèle aux autres pays et notamment à la France qui, à l'occasion de chaque loi de prorogation du privilège (1857, 1897, 1918) renégociera sa redevance.

La même évolution s'est produite dans l'ensemble des pays occidentaux et ce n'est qu'au lendemain de la Seconde Guerre mondiale que les banques centrales seront nationalisées (la Banque d'Afrique du Sud est encore aujourd'hui entièrement privée. Dans le cas de la Belgique, de l'Autriche, de la Suisse et du Japon, la participation de l'Etat n'est que majoritaire).

3. L'instauration de la tutelle de l'Etat

A l'exception de l'émission de billets, l'activité bancaire est considérée, tout au long du XIXe siècle, comme relevant d'un commerce ordinaire. En témoigne cette définition datant du début du siècle [1] : « Pris dans son acception générale, le mot banque exprime aujourd'hui, parmi nous, le commerce qui consiste à effectuer pour le compte d'autrui des recettes et des paiements, à acheter et à vendre, soit des monnaies en matières d'or et d'argent, soit des lettres de change et des billets à ordre, des effets publics, des actions d'entreprises industrielles. » En vertu de cette définition, la banque n'est pas assujettie à une réglementation particulièrement contraignante ni, *a fortiori,* à une tutelle de la part de l'Etat. Elle est seulement soumise au droit commun. En France, par exemple, la loi du 24 juillet 1867 sur les sociétés commerciales régit celles d'entre elles qui avaient adopté la forme sociétaire.

Dans un premier temps (jusqu'en 1945 environ), la réglementation bancaire a pour objet principal, sinon unique, de protéger les déposants pour éviter que la faillite d'une

---

1. GAUTIER M., cité dans le *Dictionnaire du commerce, de l'industrie et de la banque*, Guillaumin et Cie, Paris, 1900, p. 404.

banque n'entraîne un mouvement de panique et des réactions en chaîne.

Ce sont les Etats-Unis qui « inventent » la réglementation bancaire lors de la grande crise de 1929. Leur système bancaire était en effet relativement plus exposé que celui des autres pays par sa grande dispersion (environ 25 000 banques en juin 1929 dont 1 % collecte plus de la moitié des ressources) et son avance dans l'utilisation de la monnaie scripturale. Le *Banking Act* (ou *Glass Steagall Act*) de 1933 crée deux catégories de banques soumises à des contrôles et règles strictes et spécifiques :

— les *commercial banks* qui collectent des dépôts mais ne peuvent les employer ni en participations industrielles ni en crédits à long terme (limitation de leur pouvoir de transformation). De plus, elles doivent déposer une partie de leurs ressources auprès de l'une des douze *Federal Reserve Banks* (elles-mêmes coiffées par le *Federal Reserve Board*, ou FED) chargée également de leur contrôle ;

— les *investment banks* autorisées à prendre des participations, à accorder des crédits à long terme et soumises au contrôle de la *Securities and Exchange Commission* (SEC) dont notre Commission des opérations de Bourse (COB) française n'est qu'une copie.

La réglementation en France

C'est le gouvernement de Vichy qui, par les lois des 13 et 14 juin 1941, institue en France la tutelle des banques en créant :

— l'*Association professionnelle des banques* (devenue Association française des banques en 1976) ainsi que l'Association professionnelle des établissements financiers. Ces deux associations correspondent parfaitement à l'esprit corporatiste vichyssois ; toutes les banques en sont obligatoirement membres et, au-delà d'une fonction de représentation de la profession, elles disposent d'un pouvoir disciplinaire (elles constituent l'équivalent des Ordres pour les professions libérales) ;

— le *Comité permanent d'organisation des banques* qui en 1945 sera remplacé par le Conseil national du crédit ;

— la *Commission de contrôle des banques* dotée de pouvoirs de surveillance, de réglementation et de discipline.

Cette structure de tutelle n'a connu, depuis, que des aménagements au travers de différentes lois :

— *loi du 2 décembre 1945* qui, s'intégrant dans une conception keynésienne de l'Etat, achève la nationalisation de la Banque de France (commencée en 1936) et nationalise les quatre établissements de crédit nationaux (Crédit lyonnais, Société générale, Comptoir national d'escompte de Paris, Banque nationale pour le commerce et l'industrie). Cette loi divise la profession en trois catégories : banques de dépôts, banques d'affaires et banques de crédit à long et moyen terme, chacune de ces catégories étant astreinte à des ratios et des règles de fonctionnement spécifiques ;

— *décrets de 1966 et 1967* qui, revenant sur la loi de 1945, assouplissent les différences entre les banques de dépôts et les banques d'affaires (désormais autorisées à collecter des dépôts à vue auprès de la clientèle).

La croissance de la part de la monnaie scripturale (créée par les banques) dans la masse monétaire a diminué l'emprise de l'Etat sur la monnaie, aussi d'autres techniques ont dû être mises en place.

Les nouvelles techniques de contrôle

On peut les regrouper en deux grandes catégories : l'intervention directe de la Banque centrale et les moyens réglementaires.

L'intervention de la Banque centrale n'est efficace que dans la mesure où toutes les banques se trouvent, soit structurellement soit ponctuellement, confrontées à des problèmes de trésorerie. En effet, l'octroi de crédit par une banque crée de la monnaie scripturale qui va circuler puis devenir un dépôt très probablement effectué dans une autre banque : si les banques ont le pouvoir de créer de la monnaie pour leurs clients, elles peuvent donc aussi être confrontées à des problèmes de liquidités, c'est-à-dire d'augmentation de leur dette vis-à-vis des autres banques. C'est encore plus vrai pour la monnaie fiduciaire (émise par la Banque centrale) qu'elles n'ont pas le pouvoir d'émettre, mais vis-à-vis de laquelle elles doivent toutes garantir le change. (Un retrait d'espèces est en effet une opération de change : monnaie scripturale contre monnaie fiduciaire.) Dans tous les pays, la Banque centrale joue donc, peu ou prou, le rôle de banque des banques. Elle possède de ce fait un pouvoir de régulation de l'activité bancaire et donc de la création monétaire. Aux Etats-Unis, la politique d'*open market* de la FED consiste à intervenir sur le marché monétaire (marché des disponibilités entre banques). En se portant emprunteuse, la FED assèche les liquidités et fait monter les taux, ce qui réduit la liquidité globale de l'économie ; compte tenu des taux élevés, les emprunteurs finaux sont moins enclins à solliciter des crédits au système bancaire et la diminution du volume de liquidité conduit celui-ci à être plus parcimonieux dans le volume de sa distribution de crédit.

En France, un système analogue fonctionne depuis 1971 sous l'égide de la Banque de France. Auparavant le système était plus directif puisqu'il n'existait pas véritablement de marché monétaire mais un refinancement direct de chaque banque auprès de l'Institut d'émission par le mécanisme du réescompte. La Banque de France intervenait donc à la fois par le prix (taux du réescompte) et par les quantités, en fixant à chaque banque un *plafond d'escompte*. Le changement intervenu en 1971 a consisté, pour la Banque de France, à intervenir sur le marché monétaire pour que son taux effectif soit toujours inférieur au taux d'escompte, décourageant de ce fait les banques de solliciter le réescompte auprès de l'Institut d'émission. Les partisans du libéralisme ont favorisé cette réforme [2] qui laisse plus de latitude aux banques puisqu'elle correspond à une action globale sur l'ensemble de ces établissements. Inversement, les partisans d'une conduite plus dirigiste et plus sélective de l'économie souhaitent le retour à une technique de réescompte (le réescompte subsiste néanmoins pour certains types de crédits : exportation, moyen terme...) permettant à l'Etat, par l'intermédiaire

---

2. Réforme effective à la suite du rapport rédigé par Robert Marjolin, Jacques Sadrin et Olivier Wormser en 1969.

de la Banque de France, de différencier les conditions de réescompte selon les types de crédits. L'Etat aurait ainsi à sa disposition un moyen efficace d'orientation des crédits et donc de direction sélective de l'économie.

Les autres techniques de contrôle de l'Etat consistent à utiliser le *pouvoir de réglementation* dont il dispose. Une de ces techniques est à peu près universelle : il s'agit de réserves que les banques doivent constituer auprès de la Banque centrale. L'autre est typiquement française : il s'agit de l'encadrement du crédit. On se bornera ici à les définir dans leurs grandes lignes.

Les réserves obligatoires, nous l'avons vu, ont été mises en place aux Etats-Unis par le *Banking Act* en 1933. Ce système a été repris par la plupart des pays, mais tandis qu'aux Etats-Unis il n'avait alors qu'une seule finalité (celle de constituer une sorte de fonds d'assurance des banques) il a été transformé en instrument de régulation de la masse monétaire. En effet, l'augmentation des réserves contraint les banques à immobiliser une partie de leurs disponibilités et donc resserre le volume des crédits qu'elles peuvent accorder sans risque de se trouver elles-mêmes en difficulté de trésorerie. La manipulation des taux de ces réserves [3] permet donc de réguler la masse des crédits distribués par les banques et donc la masse monétaire.

Mais ces deux méthodes (intervention de la Banque centrale sur le marché monétaire et manipulation des réserves obligatoires) ont l'inconvénient de provoquer une hausse des taux d'intérêts lorsque l'on souhaite contracter la masse monétaire, cette hausse des taux étant elle-même inflationniste (puisqu'elle augmente les charges des entreprises, donc les coûts) et contraire à l'objectif généralement recherché. La France a eu recours, de 1972 à 1986, à un autre dispositif utilisé de façon complémentaire, qui limite le volume des crédits que les banques sont autorisées à consentir : c'est *l'encadrement du crédit*. Il consiste à décréter, par voie réglementaire, que chaque banque est limitée dans la progression des

---

3. Qui peuvent être calculées par référence soit aux dépôts, soit aux crédits distribués, soit aux deux.

crédits qu'elle distribue : elle ne peut distribuer pendant l'année en cours qu'un certain pourcentage de plus que ce qu'elle distribuait au cours de l'année précédente. Cette méthode peut être très sélective puisqu'elle permet de différencier les normes de progression selon les différents types de crédits et de banques. En 1985 et 1986, l'encadrement du crédit a été officiellement abandonné et remplacé par un *contrôle quantitatif* des crédits qui constituait, de fait, un système très proche de celui de l'encadrement, mais plus souple dans sa mise en œuvre.

Au premier semestre 1987, le contrôle quantitatif a été supprimé à son tour pour être remplacé par la technique classique d'action sur les taux et les liquidités des banques.

Depuis le début du XIXᵉ siècle, le fait majeur est le prodigieux développement des banques. Mais derrière celui-ci se profile constamment le problème des rapports banques-Etat.

Du début du XIXᵉ siècle à la crise de 1929, le libéralisme est dominant, mais l'Etat impose cependant aux banques de participer à son propre financement ; c'est ainsi qu'il monnaie le droit conféré aux Banques centrales (à cette époque on les appelle banques de circulation ou d'émission) d'émettre des billets contre des redevances et surtout l'obligation de souscrire à ses emprunts. Mais pour les banques, l'Etat reste avant tout un client.

De la crise de 1929 aux années soixante, le keynésianisme domine et l'Etat, surtout en France, s'efforce d'utiliser les banques pour réaliser sa propre politique notamment de reconstruction.

Depuis la fin des années soixante, on assiste à un renouveau du libéralisme limité toutefois par des politiques monétaires contraires aux règles du marché (encadrement). Dans ce contexte, les banques sont conduites à maximiser leur développement propre sous des contraintes réglementaires coercitives (*open market,* encadrement). Le mode de fonctionnement qui en résulte est bâtard et elles s'efforcent constamment de contourner les contraintes étatiques.

Deuxième partie

Les systèmes bancaires
des principaux pays

Si, au cours des XIXᵉ et XXᵉ siècles, tous les pays occidentaux connaissent un développement parallèle de leur appareil bancaire, les formes prises par cette évolution varient très sensiblement d'un pays à l'autre.

Il existe en effet plusieurs fonctions bancaires :
— collecte de dépôts ; en France : banques de dépôts, CCP et caisses d'épargne ;
— gestion des moyens de paiement (chèques, virements, effets de commerce) généralement assurée par les organismes de collecte bien que les caisses d'épargne françaises, notamment, assurent peu cette fonction (il n'y a pas de chèques pour les comptes sur livrets) ;
— octroi de crédits à court terme (escompte commercial, découverts, crédits à la consommation...) ou à long terme (logement, entreprises, collectivités locales...) ;
— services divers (placements de titres, ordres de Bourse, location de coffres, conseil...).

Les banques, utilisant de plus en plus les techniques et le langage des activités commerciales, parlent de produits. Ainsi les différentes SICAV deviennent des produits de placement, les comptes sur livret également.

De même, comme dans le commerce, on peut distinguer plusieurs stades de distribution des produits, et donc *les banques de gros* (qui ne font que de grandes opérations) et *les banques de détail* (qui ont une clientèle de petites et moyennes entreprises — PME — ou de particuliers). Nous obtenons ainsi deux critères (fonction et niveau de distribution) pour qualifier l'activité d'une banque. On en retient souvent, parallèlement, un troisième : le statut juridique qui permet de distinguer notamment les banques nationalisées (ou publiques), les banques privées et les banques à statut coopératif ou mutualiste.

Il existe encore d'autres critères pour qualifier une banque (mais ils sont moins spécifiques de ce type d'activité) : la taille ou l'implantation (locale, nationale, multinationale).

Nous appellerons système bancaire d'un pays le mode dominant de division du travail bancaire au sein de ce pays.

Ainsi, il est d'usage de dire que le système britannique est *spécialisé* (par grandes fonctions bancaires) alors que le système allemand est celui de la *banque universelle* (qui remplit toutes les fonctions). Mais au sein de chaque pays, l'organisation du système bancaire est le fruit d'une évolution historique propre qu'il convient d'analyser pour mieux en comprendre les formes actuelles.

I / Le système bancaire britannique : succès et spécialisation

Le système bancaire britannique, à travers la place de Londres et le rôle de la livre, a dominé l'ensemble du système bancaire mondial, notamment au cours du XIXᵉ siècle. La primauté de la flotte, l'insertion rapide de la Grande-Bretagne dans la division internationale du travail (notamment par l'abolition des *Corn Laws* — 1846 — qui, ouvrant le marché britannique au blé de l'empire, a ruiné l'agriculture traditionnelle mais dégagé une abondante main-d'œuvre pour l'industrie) sont des phénomènes bien connus qui, en favorisant la fonction de négoce international, ont nécessité et permis le développement parallèle de la banque britannique. Mais la Grande-Bretagne a surtout su saisir l'occasion que lui offraient ces conditions favorables pour, la première, organiser des banques modernes et faire de la banque une activité économique à part entière et à vocation exportatrice.

1. Les facteurs de succès

Plusieurs facteurs, hormis les aspects structurels évoqués ci-dessus, contribuèrent à ce succès :
• L'avance prise dans la réglementation bancaire. L'*Act* de Sir Robert Peel (1844) conférant le monopole d'émission à la Banque d'Angleterre, instituait également une réglementation bancaire (telle que des mesures de divulgation

d'informations comptables obligatoires) qui contribua à assainir la profession.

• L'avance dans l'institution du monopole d'émission, par un curieux effet de revers, favorise également le développement du chèque et des banques commerciales. En effet, la Banque d'Angleterre ne pouvait satisfaire à toute la demande de monnaie, et le chèque, émis sur une banque commerciale, devint rapidement un substitut usuel de la monnaie fiduciaire.

• La concentration en un lieu, Londres, de toutes les fonctions et compétences financières (banque, assurance, courtage, renseignements commerciaux) a eu un effet de synergie important. Tous les aspects financiers d'une même affaire pouvaient se traiter sur place entre personnes habituées à travailler ensemble.

• La concentration bancaire a commencé dès la seconde moitié du XIXe siècle : les banques « privées » (c'est-à-dire constituées en nom propre et non sous forme de sociétés par actions) passent de 267 en 1858 à 102 en 1896. Cette concentration se fait soit par disparition pure et simple, soit, davantage encore, par fusion et absorption. En 1900, cinq grandes banques dominent déjà la profession : Midland, Lloyd's, Westminster, Barclays et National Provincial.

2. La spécialisation bancaire britannique

Mais, au-delà de son succès précoce, le caractère essentiel du système bancaire britannique réside dans la spécialisation qu'il a mise en place. La banque britannique s'est en effet rapidement organisée autour de deux pôles complémentaires : les *merchant banks* d'une part et les *commercial* (ou *clearing*) *banks* d'autre part.

Les *merchant bankers,* appelés maintenant *accepting houses* ou *discount houses* [1], étaient à l'origine de simples

---

1. En réalité, ces trois termes : *merchant, accepting, discount*, recouvrent des fonctions légèrement différentes mais il n'existe pas en Grande-Bretagne de classification aussi rigide qu'en France et les mêmes établissements effectuent ces trois types de fonctions avec éventuellement des spécialisations.

marchands connaissant particulièrement bien le « monde des affaires », c'est-à-dire l'ensemble des entreprises et leur santé économique. Ils vendirent donc cette connaissance en avalisant des traites, leur conférant ainsi une importante sécurité. Progressivement leur activité se développa et prit la forme d'escompte direct de traites.

La fonction de ces *discount houses* ne correspond ni à celle des banques d'affaires françaises ni à celle de nos maisons de réescompte. En effet, leur métier consiste davantage à vendre des services (dorénavant étendus à toute la gamme des services financiers nationaux ou internationaux, aux entreprises et autres banques : fusions, émissions internationales...) qu'à placer leurs fonds propres ou de collecte. Ces *accepting houses* existent toujours et parmi les plus importantes figurent : Hambros Bank, Hill Samuel and Co, Kleinwort, Benson, Lazard Brothers, Samuel Montagu, Rothschild and Sons.

Les *commercial* (ou *clearing*) *banks* ont davantage pour vocation la collecte des dépôts, la gestion des moyens de paiement (chèques, virements...) et l'octroi des crédits courants.

Le système bancaire britannique est très compartimenté :
— d'une part, le métier quasi industriel de *commercial banks* (collecte de dépôts, gestion des moyens de paiement...) qui se fonde sur une organisation efficace et puissante ;
— d'autre part, la technicité des *discount houses* requise par les montages financiers et l'appréciation du risque dans l'octroi de crédits.

Cette division du travail existe toujours, bien qu'elle tende à s'amoindrir, les principales *commercial banks* cherchant soit à contrôler une *merchant bank,* soit à en constituer une, ainsi :
— La Midland Bank, contrôle Samuel Montagu ;
— La Barclays Bank a créé une filiale spécialisée (Barclays Merchant Bank) ;
— National Westminster Bank contrôle la County Bank ;
— La Lloyd's Bank a créé une division *merchant banking* dans sa filiale Lloyd's International.

II / Le système bancaire allemand :
Banques universelles « de détail »
et « de gros »

Sous sa forme moderne, le système bancaire allemand ne s'est véritablement mis en place qu'à partir de la seconde moitié du XIXᵉ siècle. Son développement s'effectue dès cette époque sous deux formes très différenciées : d'une part, l'implantation d'un large réseau coopératif et populaire et, d'autre part, la constitution de banques commerciales, rapidement très concentrées.

1. Les réseaux coopératifs et populaires

Le réseau coopératif *(Raiffeisenkasser)* est dû notamment à Friedrich Wilhelm Raiffeisen, bourgmestre à Flammesfeld. Initialement, au XIXᵉ siècle, il s'agit de coopératives paroissiales, dirigées par des notables bénévoles, ayant surtout la fonction de caisse de caution mutuelle. Progressivement, l'institution se développe et s'aligne sur les banques, tant dans son mode de fonctionnement que dans ses statuts juridiques. Ainsi la responsabilité solidaire et illimitée des coopérateurs a progressivement cédé le pas à une responsabilité limitée aux apports, comme dans toute société commerciale. Mais son caractère de vaste réseau diffus, surtout rural, a subsisté jusqu'à nos jours. Parallèlement, dans les milieux urbains, des banques populaires *(Volksbanken)* se mettent en place.

Ces deux réseaux complémentaires ont toujours occupé une place prépondérante en Allemagne dans la collecte des dépôts, notamment ceux qui proviennent de l'épargne populaire, et dans l'octroi des crédits aux particuliers, commerçants et artisans. En 1971, les réseaux *Raiffeisen* et *Volksbanken* se sont rapprochés sous l'égide de la Deutsche Genosenschaftsbank communément appelée DG Bank, qui constitue l'une des premières banques allemandes. S'il a une vocation universelle (collecte des dépôts, gestion des moyens de paiement, octroi des crédits), l'ensemble de la DG Bank est cependant spécialisé dans l'activité dite de « détail » : clientèle nombreuse mais petites opérations.

2. Les banques commerciales

Les banques commerciales allemandes sont également universelles mais, à l'inverse, spécialisées dans les opérations dites de « gros », c'est-à-dire très orientées vers l'industrie. La proximité entre les banques commerciales et les entreprises s'en trouve renforcée. La banque est un partenaire constant de l'entreprise, où elle n'hésite pas à intervenir en profondeur, par exemple dans sa gestion ou sa comptabilité.

Cette conception de la banque au service de l'industrie (et non du commerce comme en Grande-Bretagne) est souvent considérée comme l'un des facteurs de réussite de l'industrie allemande. Les crédits peuvent en effet y être plus facilement obtenus en fonction des besoins effectifs de l'entreprise et des risques économiques y afférant, alors que la banque française méconnaît les entreprises et accorde ses crédits essentiellement en fonction des garanties présentées.

Les banques allemandes sont souvent présentées comme le modèle type de banque universelle (chacune d'entre elles remplit effectivement toutes les fonctions bancaires, contrairement aux banques britanniques). Or, derrière cette universalité de fonctions, se cache une spécialisation par le type de clientèle. L'analyse des réseaux selon le nombre de guichets le prouve : avec 31 % du nombre total des guichets en 1980 (19 127 guichets) le réseau coopératif ne représente que

14,6 % des dépôts collectés alors que, pour les banques commerciales, ces chiffres sont respectivement de 9,7 % (6 160 guichets) et de 22 %.

Comme dans la plupart des autres pays, les banques commerciales allemandes sont également très concentrées puisque les trois premières (Deutsche Bank, Dresdner Bank et Commerzbank) ont une activité cumulée comparable à celle des deux cents autres banques qui ont, elles, des vocations plus régionales.

III / Le système bancaire des États-Unis : décentralisé et spécialisé

Le système bancaire des Etats-Unis est déterminé à la fois par la structure fédérale du pays (facteur de décentralisation) et par la législation issue de la crise de 1929 (facteur de spécialisation). La décentralisation trouve ses fondements dans la Constitution elle-même : tout ce qui n'est pas expressément réservé à la confédération est du ressort des Etats ; tel est le cas des banques.

1. Les causes historiques de la décentralisation

Au XIXᵉ siècle, la création de banques est totalement libre et les législations des différents Etats se contentent d'en faire un commerce de détail et d'en limiter la puissance ; ainsi dans certains Etats (l'Illinois, par exemple), les banques ne peuvent avoir qu'un seul guichet. Les faillites et escroqueries permises par cette absence de réglementation conduisent au *National Bank Act* de 1863 qui organise un système double :
— d'une part, les banques d'Etat, contrôlées par le gouvernement de leur Etat, au travers des *State Banking Departments* ;
— d'autre part, les banques dites nationales [1] contrôlées

---

1. Ces banques nationales sont, comme les banques d'Etat, soumises à leur législation fédérale et ne peuvent s'implanter en dehors de leur Etat.

par le Trésor fédéral à travers le *Comptroller of the Currency.*

Par ailleurs, les Etats-Unis ont connu un important retard dans la constitution d'une Banque centrale d'émission. En 1900 une telle banque n'existe pas encore et les billets en circulation sont émis directement par l'Etat. Il s'agit en quelque sorte de bons du Trésor au porteur. Il en existe plusieurs types (notamment les *greenbacks* et les *Treasury notes*) correspondant à différentes dates d'émission en fonction des besoins du Trésor [2]. Si ce retard a été un facteur de crise (notamment celle de 1929), il a, en limitant la circulation fiduciaire, favorisé le développement du chèque et, ultérieurement, celui de la carte de crédit. Le *Federal Reserve Act* de 1913 a partiellement coordonné cette grande dispersion en instituant douze *Federal Reserve Banks* bénéficiant du privilège d'émission et la *Federal Reserve Board,* organisme coordinateur. Les banques nationales sont obligées d'adhérer à la FED et de participer au capital des *Federal Reserve Banks* en y déposant leurs réserves.

Mais la crise de 1929 devait révéler les faiblesses de ce système :

— impuissance de la FED à enrayer la spéculation et à coordonner effectivement la politique des *Federal Reserve Banks* (en 1929 celle de Chicago s'opposa à la FED) ;

— trop grande « transformation [3] » opérée par les banques commerciales notamment au travers d'importants portefeuilles de valeurs mobilières (actions de sociétés).

Depuis 1929, la puissance de la FED s'est trouvée renforcée par ses interventions sur le marché monétaire (politique d'*open market*), mais surtout par l'hégémonie mondiale du

---

2. Ces billets avaient le même statut que nos pièces françaises, émises par l'Etat et portant l'inscription « République française », alors que nos billets sont émis par la Banque de France et ne portent aucune mention faisant référence à l'Etat.

3. La transformation consiste pour une banque à immobiliser par des emplois à long terme (prêts ou titres) des ressources à court terme ou à vue. Une importante transformation est un facteur de fragilité puisque, en période de panique, la banque ne peut pas faire face aux demandes de remboursement des dépôts.

dollar. La restructuration du système bancaire a été opérée par le *Banking Act* de 1933 qui a obligé les banques à se spécialiser et à créer des cloisons théoriquement étanches entre les *commercial banks* et les *investment banks*.

2. La concurrence des quasi-banques

Aujourd'hui, le système bancaire des Etats-Unis présente encore les caractéristiques issues de son histoire :
— forte dispersion : il existe *15 000 banques* aux Etats-Unis ;
— forte spécialisation : entre les *commercial banks* et les *investment banks*.

Mais ces deux traits, joints aux fortes contraintes réglementaires qui subsistent (impossibilité de s'implanter hors de l'Etat d'origine et cloisonnement strict entre *commercial* et *investment banks*), ont nui au système bancaire pour le plus grand profit des établissements financiers non bancaires. La réglementation concerne en effet les banques plus que les opérations bancaires. Il existe de nombreuses *near banks* (« presque banques ») qui, non soumises à la réglementation bancaire, concurrencent directement les banques sur leur propre terrain :
— gestion des moyens de paiement : les cartes de crédit d'institutions spécialisées (American Express...) ou de chaînes de magasins (Sears Roebuck and Co) sont plus nombreuses que celles des banques (400 millions contre 100 millions pour les banques) ;
— les grandes sociétés de placement en valeurs mobilières (Merill Lynch...) évoluent en passant du simple courtage à une activité d'*investment bank* puis, de cette fonction, en arrivent à concurrencer les banques commerciales par la mise en place de nouveaux produits d'épargne tels que les *cash management accounts* (qui s'apparentent à nos fonds communs de placement) qu'ils placent sur l'ensemble du territoire des Etats-Unis.

Les banques américaines s'efforcent de contourner ces handicaps et cette concurrence, notamment par la constitution de filiales, pour réoccuper ces terrains. Mais le système bancaire américain n'a pas la puissance que celle du dollar, de l'industrie et de la suprématie politique des Etats-Unis pourraient lui conférer ; selon le classement de la revue *American Banker,* seules deux banques américaines (la Bank of America et la Citybank) figurent parmi les dix premières mondiales. A noter : la dérégulation bancaire, mise en œuvre avant même l'arrivée au pouvoir du président Ronald Reagan (*Monetary Control Act* de 1980), a considérablement accentué cette concurrence pour le partage du gâteau financier ; désormais il n'existe pratiquement plus de cloison entre les différents segments du système financier américain. Il est étonnant (et même inquiétant) de remarquer que la crise de 1929 s'était traduite par la mise en place d'un système de stabilisation et de protection (le *Glass Steagall Act*) alors que la crise actuelle conduit au contraire à une fragilisation. En 1986, 180 banques ont fait faillite (après 120 en 1985) ; certes, il s'agit surtout de petites banques, mais les risques ne sont pas négligeables de voir le mouvement s'étendre à des institutions plus importantes.

IV / Le système bancaire français : hybride, concentré et plus proche de l'Etat que des entreprises

La principale différence avec les pays étudiés ci-dessus réside, à notre avis, dans le fait que la France est un pays latin, c'est-à-dire de droit écrit. Deux conséquences en découlent :
— l'évolution du système bancaire est surtout déterminée par les lois qui régissent la tutelle des banques, c'est-à-dire les rapports banques-Etat. Cette caractéristique induit à son tour des échanges fréquents entre les dirigeants des banques et ceux de l'Etat ;
— les rapports banques-économie se font eux aussi essentiellement sur les bases du droit commercial écrit. Il en résulte, de la part des banques, une attitude et un fonctionnement beaucoup plus juridiques et administratifs qu'économiques et financiers.

1. Le concubinage banques-Etat

Sous sa forme moderne, la banque française ne commence à exister véritablement qu'à partir de la monarchie de Juillet, c'est-à-dire de 1830. Mais il ne s'agit alors que d'une activité dite de *haute banque.* Les banques parisiennes, détenues par des hommes tels que Jacques Laffitte, Casimir Perier, Rothschild, se caractérisent en effet par trois données essentielles :

— elles ne collectent pas l'épargne populaire, mais se posent davantage en gestionnaires de grandes fortunes ;

— elles emploient surtout ces fonds, soit en octroyant des crédits à l'Etat ou à des entreprises proches de lui (chemins de fer), soit en finançant des opérations internationales ;

— elles sont très proches de l'Etat, à tel point que l'on peut se demander qui domine l'autre, des banques ou de l'Etat [1].

L'essor industriel à partir du Second Empire favorise la naissance de banques à réseau de collecte plus large. Le Crédit mobilier des frères Pereire en 1852 fait figure d'innovateur ; il est rapidement suivi par la Société générale de crédit industriel et commercial (CIC) en 1859, le Crédit lyonnais en 1863 et la Société générale en 1864.

Mais à cette époque il n'y a pas encore de division fonctionnelle du travail ; chaque banque est une « banque à tout faire » et se caractérise davantage par son type de clientèle (grandes fortunes pour la haute banque, commerce et petite industrie pour les nouveaux établissements). La faillite de l'Union générale (qui inspira *L'Argent* à Emile Zola), du Crédit mobilier des frères Pereire ou certaines difficultés du Crédit lyonnais qui veut abandonner « les branches vermoulues de l'industrie » conduiront à une spécialisation bancaire progressive.

Les lois de juin 1941 et décembre 1945, qui, tout en mettant en place la tutelle de l'Etat, définissent et réglementent la division du travail bancaire, ne font qu'entériner un état de fait. Il y a, d'une part, les banques d'affaires non autorisées à collecter des dépôts à vue, mais qui peuvent prendre des participations industrielles et, d'autre part, les banques de dépôts qui, elles, ne peuvent détenir de participations industrielles.

Mais cette spécialisation se révèle incompatible avec les besoins de l'industrie lors de la période d'expansion de 1945 à 1970. En particulier, elle encourage la forte préférence des Français pour une épargne liquide : les banques d'affaires

---

1. Jacques Laffitte est président du Conseil des ministres en 1830, Casimir Perier lui succède en 1831. D'autres exemples plus récents (Georges Pompidou) vont dans le même sens.

sont trop éloignées de la clientèle des déposants pour les inciter à des placements longs et les banques de dépôts s'enferment dans le confort des crédits à court terme. L'industrie, de plus en plus capitalistique, ne trouve donc pas les financements longs dont elle a besoin.

Les réformes des années soixante

Pendant cette période, le gouvernement, notamment sous l'impulsion de Michel Debré, a deux projets :
— le premier, très politique, et d'inspiration très gaullienne, consiste à faire de Paris une, si ce n'est la, grande place financière de la CEE (puisque de Gaulle refuse l'entrée de la Grande-Bretagne dans le Marché commun) ;
— le second, plus économique, mais simple corollaire du premier, entend doter la France d'un puissant système bancaire proche de l'industrie.

Un nombre important de mesures prises en 1966 et 1967 vont s'inscrire dans ce cadre.

• La réforme du droit des sociétés (loi du 24 juillet 1966) doit contribuer à assainir les entreprises, notamment par le renforcement du rôle des commissaires aux comptes à l'image du modèle anglais ou américain.

• La création de la Commission des opérations de Bourse (COB) en 1967 sur le modèle de la *Securities and Exchange Commission* (SEC) américaine vise à donner des garanties aux détenteurs de valeurs mobilières [2].

• Le désengagement progressif de l'Etat (on parle alors de débudgétisation ou détrésorisation) dans le financement de l'économie ; l'Etat concurrençait en effet les banques, à la fois par la collecte (bons du Trésor) et par la distribution des crédits [3] (rôle du Fonds de développement économique et social).

• La participation des salariés créée par une ordonnance de 1967 vise, au-delà de son objectif politique, à habituer les

2. Sur ce sujet, voir notamment Durand M., *La Bourse*, La Découverte, collection « Repères », Paris, nouvelle édition, 1987.
3. Voir plus loin le tableau III.

couches populaires à l'actionnariat et, par là, à contribuer au développement du marché financier.

• L'institution en 1967 du Crédit de mobilisation des créances commerciales [4] (CMCC), comme substitut à l'escompte classique, est destinée à diminuer les frais bancaires, mais aussi et surtout à obliger les banques à changer d'attitude vis-à-vis de leur clientèle d'entreprises.

Pour comprendre cet aspect fondamental, il faut revenir sur la pratique et sur le droit des effets de commerce en France. En vertu du droit commercial, tous les signataires d'une traite (effet de commerce) sont solidairement responsables. En pratiquant l'escompte des traites, le banquier a donc une double sûreté : sur son client (tireur-escompteur) et sur le client de son client (tiré-accepteur). L'escompte est la forme la plus importante de distribution du crédit aux entreprises en France, mais cette pratique a deux inconvénients : son coût (volume des documents échangés) et le type de relations qu'il induit entre la banque et l'entreprise ; à une relation de crédit (confiance) se substitue un acte administratif. L'escompte apparaît donc comme un écran entre l'entreprise et le banquier. Cette pratique n'existe pas (ou peu) dans les autres pays, RFA, Grande-Bretagne, Etats-Unis où le banquier est obligé de bien connaître son client avant de lui faire crédit.

A toutes ces mesures touchant l'environnement des banques s'ajoutent celles directement destinées à remodeler le système bancaire :

— décrets de janvier et décembre 1966 décloisonnant les banques d'affaires et les banques de dépôts ;

— décret du 26 mai 1966 fusionnant la Banque nationale pour le commerce et l'industrie (BNCI) et le Comptoir national d'escompte de Paris (CNEP) pour former la Banque nationale de Paris (BNP) ;

— avis du Crédit foncier de France de septembre 1966 instituant le marché hypothécaire ;

— loi du 28 décembre 1966 réservant aux banques et établissements financiers le démarchage en matière de prêts et de placements ;

---

4. Voir troisième partie, chapitre I.

— décision du Conseil national du crédit de janvier 1967 abolissant l'autorisation préalable pour l'ouverture des guichets (c'est le début de la « course aux guichets » pour drainer l'épargne populaire) ;
— décision du Conseil national du crédit de juin 1967 interdisant la rémunération des dépôts à vue et libérant la rémunération des dépôts à terme.

Les années 1966 et 1967 ont donc constitué un tournant fondamental dans la réglementation bancaire. Les années suivantes se sont traduites par un développement important des banques tant dans la collecte des ressources que dans la distribution des crédits. On parle alors de la *bancarisation* des ménages.

De 1971 à 1982, la part des banques dans les disponibilités monétaires est passée de 54,4 % à 64,7 % comme le montre le tableau II :

TABLEAU II. — EVOLUTION RÉCENTE
DES DISPONIBILITÉS MONÉTAIRES
(en %)

	1971	*1975*	*1979*	*1985*
Billets et monnaie divisionnaire	31,2	26,9	23,4	18,9
Dépôts à vue dans les banques	54,4	58,7	62,1	66,6
Dépôts à vue dans les CCP	13	12,9	12,9	11,9
Autres dépôts à vue	1,4	1,5	1,6	2,6

Source : [9].

La monnaie de banque (dépôts à vue) s'est progressivement substituée à la monnaie Banque de France (billets), procurant ainsi des ressources nouvelles aux banques.

Ces nouvelles ressources ont permis aux banques d'augmenter leurs emplois, c'est-à-dire la distribution des crédits au détriment du Trésor public, comme le montre le tableau III, qui donne les parts respectives de chacun des trois types d'institutions :

TABLEAU III. — EVOLUTION DE LA DISTRIBUTION
DES CRÉDITS PAR INSTITUTION
(en %)

	1971	1975	1979	1984
Trésor public	7,9	4	2,4	0,8
IFNB[a]	32,3	31,8	34,8	38,5
Etablissements financiers et banques	59,8	64,2	62,8	60,7

a. Les institutions financières non bancaires sont essentiellement : la Caisse des dépôts et consignations, le Crédit foncier, le Crédit national, le Comptoir des entrepreneurs, les sociétés de développement régional (SDR).

Source : [9].

Mais les banques n'ont pas « joué le jeu », surtout pas celui de l'économie nationale, préférant prêter à l'étranger (non-résidents) conformément à leur politique d'internationalisation et de redéploiement plutôt qu'aux entreprises françaises :

TABLEAU IV. — EVOLUTION DES CRÉDITS
PAR AGENT ÉCONOMIQUE
(en %)

	1971	1975	1979	1984
Non-résidents	2,1	3,8	7,9	17,2
Autres bénéficiaires[a]	11,1	10,7	11,2	13,4
Ménages	29,6	32,6	34,9	31,7
Sociétés	57,2	52,9	46	37,6

a. Notamment les administrations au sens de la comptabilité nationale (Etat, organismes de Sécurité sociale, etc.).

Source : [9].

2. Le juridisme du système bancaire français

Au cours des dernières années, les pratiques bancaires ont peu évolué. Les banques françaises n'ont pas su, ou pas voulu, profiter de cette période d'expansion pour changer leur attitude vis-à-vis de leur clientèle d'entreprises. Les chefs d'entreprise reprochent couramment aux banques de ne pas savoir (ou vouloir ?) envisager les entreprises dans une optique de gestionnaire : les bilans sont à peine analysés ; quant aux prévisions ou études de marché, elles sont rarement demandées. Les banques préfèrent toujours, ou presque, les sûretés réelles (hypothèque, nantissement, crédit-bail) ou, à la rigueur, personnelles (cautions). D'où l'opinion courante : elles ne prêtent qu'aux riches sans participer au développement de l'économie. Pourtant les rapports ou recommandations se succèdent ; ils sont autant de constats d'échec de la modernisation de la banque française :

— rapport Mayoux, en 1979 : il plaide pour la décentralisation du crédit et pour la mise en œuvre d'un « crédit global d'exploitation », c'est-à-dire une forme de crédit obligeant le banquier à considérer le financement de l'entreprise comme un tout et non pas comme une mosaïque de procédures ;

— Jacques Delors, par une lettre du 26 juillet 1982 à l'intention des dirigeants des banques nationalisées, insiste pour qu'une collaboration plus étroite s'institue entre les banques et les entreprises et pour que les crédits soient mieux adaptés à la situation réelle des entreprises.

— l'Assocation française des banques elle-même reconnaît implicitement les abus, notamment par une recommandation visant à limiter les cautions personnelles demandées aux dirigeants (recommandation du 19 avril 1982) ou par des tentatives, avortées, pour préciser le rôle et la responsabilité du chef de *pool* (les entreprises importantes ont toujours plusieurs banquiers qui forment un *pool* afin de diviser les risques).

Mais, de plus, cette « bancarisation » de la distribution des crédits ne s'est pas traduite par une diminution de coût pour l'Etat. En réalité, les crédits qui étaient auparavant distribués directement par l'Etat (notamment par le FDES) ont été progressivement transférés aux banques, mais les taux sont restés « préférentiels » ou « bonifiés », c'est-à-dire inférieurs à ceux du marché ; le coût qui résulte de cette « bonification » reste, lui, à la charge de l'Etat.

TABLEAU V. — EVOLUTION DES CRÉDITS
À TAUX PRÉFÉRENTIELS
(en %)

	1969		1977		1984	
	en % du total	en % des crédits à l'économie	en % du total	en % des crédits à l'économie	en % du total	en % des crédits à l'économie
Institutions financières bancaires	22,6	11,2	35,6	15,6	43,3	19,3
Institutions financières non bancaires	57,1	28,3	57,8	25,2	55,2	24,6
Trésor public (prêts publics)	20,3	10,0	6,6	2,9	1,5	0,7
	100	49,5	100	43,7	100	44,6

Source : Bulletin trimestriel de la Banque de France.

Ce tableau confirme la « débudgétisation ou la « détrésorisation » analysée plus haut, mais il montre qu'elle s'est opérée au profit des banques qui sont devenues distributrices des aides de l'Etat. Celui-ci a donc en quelque sorte délégué aux banques, c'est-à-dire à des entreprises privées (même nationalisées elles demeurent des sociétés anonymes), le droit de répartir des deniers publics.

Ces crédits sont accordés par les banques qui peuvent ensuite les *mobiliser* ou les *refinancer* auprès d'un organisme spécialisé (Crédit national, Banque française du commerce extérieur) ou directement auprès de la Banque de France ou du Trésor. La banque ne joue donc qu'un rôle de simple intermédiaire (prélevant au passage une marge ou commission). Comme le montre le tableau V, les crédits à taux préférentiels représentent presque la moitié (44,6 %) des crédits distribués. Ces procédures concernent essentiellement :

— l'agriculture, dont les crédits sont distribués par le Crédit agricole qui bénéficie là d'un monopole et gère de ce fait une partie essentielle du budget du ministère de l'Agriculture ;

— l'exportation qui, notamment par la procédure de mobilisation des créances nées sur l'étranger, permet un refinancement à des taux avoisinant 8 % (deux à trois points en dessous du taux de base bancaire) ;

— l'habitat (prêts épargne logement, prêts immobilier conventionnés ou PIC, prêts d'accession conventionnés ou PAC), dont une partie n'est pas refinancée par des organismes étatiques mais par l'épargne des ménages (épargne logement) ;

— l'investissement avec toute une série de prêts correspondant à autant de procédures distinctes : « utilisation rationnelle de l'énergie et des matières premières », « emploi et compétitivité », « efficacité des équipements »...

Le système bancaire et du crédit en France se caractérise donc par une double mosaïque : des crédits et des institutions.

La mosaïque des crédits se traduit par des disparités considérables des taux qui, au cours de 1986, s'échelonnaient de 3 % (certains prêts à l'agriculture) à 18 % (taux maximal du crédit à la consommation) alors qu'au cours de cette période le taux de base bancaire (voir quatrième partie, chapitre I) s'élevait à 9,6 %. La Banque de France recense plus de 140 procédures distinctes. Encore faut-il considérer que cette liste n'est pas exhaustive : « On s'est donc borné à retenir les systèmes les plus usités et à indiquer, pour chacun d'eux, le schéma des modalités en vigueur. » Personne ne connaît tous les chemins de ce labyrinthe qui permet à de nombreux utilisateurs de crédits de bénéficier de véritables rentes de situation. Certains exploitants de banques signalent qu'ils accordent couramment des crédits à taux bonifiés, immédiatement replacés sur des comptes à terme où ils rapportent 12 % d'intérêt à leurs détenteurs !

A cette mosaïque des crédits s'en ajoute une autre, aussi complexe, correspondant aux différentes institutions financières françaises. L'encadré ci-après schématise le système bancaire et financier français mis en place par la loi bancaire de 1984 (cf. cinquième partie, chapitre II). Il faut en fait considérer trois grandes catégories d'établissements : les banques, les autres établissements de crédit et les autres institutions financières.

• *Les banques*

La loi bancaire de 1984 a voulu favoriser l'universalité des institutions financières ; elle ne donne donc pas de définition des banques mais des établissements de crédit (article 1) : « Les établissements de crédit sont des personnes morales qui effectuent à titre de profession habituelle des opérations de banque. Les opérations de banque comprennent la réception des fonds du public, les opérations de crédit, ainsi que la mise à disposition de la clientèle ou la gestion de moyens de paiement. »

Mais cette définition très volontariste dans le sens de l'universalité est tempérée par l'article 17 de la loi qui définit chaque catégorie ; ainsi « sont seules habilitées d'une façon générale à recevoir du public des fonds à vue ou à moins de deux ans : les banques, les banques mutualistes ou coopératives ainsi que les caisses d'épargne et les caisses de crédit municipal ».

Ainsi les banques sont définies par leur monopole sur la fonction de collecte à court terme et de redistribution sous forme de crédit.

Mais les banques elles-mêmes ne sont pas homogènes. On distingue en effet :

— *les banques AFB ou ex-inscrites* (367 en 1986) : elles sont obligatoirement membres de l'Association française des banques (AFB) et étaient, avant la loi de 1984, inscrites sur une liste spéciale d'où le nom qui leur est resté de banques inscrites. Parmi elles, les trois premières : BNP, Crédit lyonnais et Société générale, représentent à elles trois autant que l'ensemble des autres ;

INSTITUTIONS FINANCIÈRES ET TRÉSOR PUBLIC

	ÉTABLISSEMENTS DE CRÉDIT BANCAIRES ET ASSIMILÉS – ECB – (M3 ET SES CONTREPARTIES)				AUTRES INSTITUTIONS FINANCIÈRES – AIF			
Banque de France et FSC	Banques	Caisses d'épargne	Autres établissements de crédit de caractère bancaire	Caisse des dépôts et consignations	Établissements de crédit de caractère non bancaire (ECNB)	Autres institutions financières non bancaires (AIFNB)	Organismes de placement collectif en valeurs mobilières (OPCVM)	ÉTAT
	– *Banques AFB* y compris BFCE – *Banques mutualistes* • Banques populaires • Crédit agricole • Crédit mutuel • Crédit mutuel agricole rural • Crédit maritime • Banques du Crédit coopératif – *Crédits municipaux* – Groupement des banques pour l'émission d'emprunts obligataires (GBPE - 1984)	– Caisses d'épargne et de prévoyance – Sociétés régionales de financement SOREFI (SF) – « Emprunts caisses d'épargne Ecureuil » – Caisse nationale d'épargne (PTT)	– *Sociétés financières (SF)* • Sociétés immobilières pour le commerce et l'industrie (SICOMI) • SOFERGIE • Société de financement des Télécom • Sociétés de location de longue durée • Sociétés de gestion de moyens de paiement • Autres SF avec agrément individuel • Sociétés de crédit différé • Caisse nationale de l'énergie • Sociétés de crédit immobilier (HLM) – *Maisons de titres* – *Institutions financières spécialisées (IFS) bancaires* • Crédit d'équipement des PME (CEPME) • Comptoir des entrepreneurs – Instituts régionaux de participation (IRP)	– CDC – Caisse de garantie pour le logement social (CGLS)	– *Institutions financières spécialisées (IFS) non bancaires* • Crédit foncier de France • Crédit national – Sociétés de développement régional (SDR) y compris SOFIPARIL et SOFIMAC – Caisse centrale de coopération économique (CCCE) – Caisse d'aide à l'équipement des collectivités locales (CAECL) – Chambre de compensation des instruments financiers de Paris (CCIFP) – Société française pour l'assurance du capital risque des PME (SOFARIS) – Caisse nationale des autoroutes (CNA) – Caisse nationale des télécommunications (CNT)	– *Sociétés financières (SF)* • Sociétés de caution mutuelle • Sociétés de crédit social (DTOM) – Groupements professionnels de répartition d'emprunts collectifs d'agents non financiers – Caisse nationale de l'industrie (CNI) – Caisse nationale des banques (CNB) – Caisse de consolidation et de mobilisation des crédits à moyen terme (CACOM) – UFINEX – Caisse d'amortissement pour l'acier (CAPA) – Fonds d'intervention sidérurgique (FIS) – Comité interprofessionnel du logement (CIL) – Agents de change	– Sociétés d'investissement à capital fixe – Sociétés d'investissement à capital variable (SICAV) – Fonds communs de placement (FCP)	

Source : Banque de France.

— *les banques mutualistes ou coopératives* comprennent essentiellement trois réseaux : banques populaires (42 banques), le Crédit mutuel (23 banques) et le Crédit agricole (95 établissements). Ces banques bénéficiaient de certains privilèges tels que le non-assujettissement à l'impôt sur les bénéfices (jusqu'en 1980 pour le Crédit agricole) ou la possibilité d'offrir des livrets dont les intérêts ne sont pas imposés (livret « bleu » du Crédit mutuel) ; ils sont en train de disparaître (politique dite de « banalisation ») sous la pression... des banques AFB.

TABLEAU VI. — PART DES DIFFÉRENTS RÉSEAUX À FIN 1984

	Dans la collecte des liquidités (M3R)	Dans la distribution des crédits
Banques AFB	30,2	34,2
Banques mutualistes	25,0	19,6
Autres établissements de crédits bancaires	1,3	6,9
Caisses d'épargne	30,2	38,5
PTT	4,5	
Trésor public	2,2	0,8
Banque de France	6,6	
	100,0	100,0

Source : Rapport du Conseil national du crédit et statistiques de la Banque de France.

• *Les autres établissements de crédit*

Nous ne considérons ici que ceux à caractère bancaire (hors caisse d'épargne et caisse des dépôts). Ils peuvent, comme les banques, distribuer des crédits, mais ne peuvent collecter des dépôts à court terme ; ils se procurent donc leurs ressources soit sur le marché financier (émission d'emprunts obligataires), soit sur le marché monétaire alimenté, lui, par les excédents des disponibilités à court terme des banques (en fait, essentiellement les banques mutualistes ou coopératives). Leurs activités essentielles sont le crédit-bail, le crédit à la consommation ou les activités de gestion de titres ; il est utile de savoir qu'il s'agit, le plus souvent, de filiales de banques de dépôts.

● *Les autres institutions financières* (AIF)

Les principales AIF sont des institutions parapubliques ou des SICAV. Elles se financent également par émissions obligataires, sauf les SICAV qui ne sont que des écrans entre les épargnants et la Bourse.

Pour l'utilisateur, cette double mosaïque, des institutions et des procédures, constitue un labyrinthe dont certains tirent profit mais qui décourage les véritables entrepreneurs et innovateurs. Ces deux aspects se superposent parfois, mais le plus souvent ils s'enchevêtrent à souhait et même les spécialistes s'y perdent.

Pour l'analyste, le système bancaire français apparaît très concentré (trois grandes banques inscrites, plus le Crédit agricole, y font la loi) mais ni véritablement spécialisé à l'anglaise, ni décentralisé à l'américaine, ni segmenté par clientèle à l'allemande. En fait, son trait dominant paraît ressortir des relations privilégiées qu'il a toujours entretenues avec l'Etat. Pouvoir politique et pouvoir monétaire se sont toujours croisés, chez les individus : Jacques Cœur, John Law, Jacques Laffitte, Casimir Perier, Georges Pompidou, Claude-Pierre Brossolette (qui passe du secrétariat général de l'Elysée sous Valéry Giscard d'Estaing, à la présidence du Crédit lyonnais), mais aussi dans le fonctionnement des institutions. Lorsqu'en 1966-1967, l'Etat a voulu libérer ou libéraliser les banques, celles-ci ont refusé de jouer pleinement le jeu et ont préféré les lourdes procédures de refinancement à la prise directe de responsabilités vis-à-vis de leur clientèle. Si la nationalisation de 1982 n'a pas créé de bouleversements, c'est parce qu'elle s'est contentée d'enregistrer un état de fait. De même la libéralisation en cours n'est qu'une façade ; les banques préfèrent nettement s'abriter derrière des procédures et des taux administrés.

Troisième partie

La gestion bancaire

La banque constitue l'une des branches économiques les plus méconnues, tant par ses utilisateurs que par la plupart de ses employés. Selon l'usage que l'on en fait, elle apparaît comme une gardienne de dépôts, une distributrice de crédit ou une conseillère privilégiée. Ces différentes conceptions ne sont pas erronées mais partielles. La gestion d'une banque consiste à concilier ces différentes fonctions ou activités en respectant certains équilibres propres à assurer la pérennité de l'institution. Mais au-delà de cet objectif, les banques comme toutes les institutions défendent aussi leurs intérêts propres et leurs droits acquis. La nationalisation de la plupart des banques françaises en février 1982 a affirmé leur droit à « l'autonomie de gestion » sans pour autant préciser comment ce principe serait rendu compatible avec l'objectif d'une gestion plus conforme à « l'intérêt général », qui fonde ces nationalisations. Le libéralisme régnant depuis mars 1986 ne se traduit, lui, que par l'annonce d'une privatisation, mais aucun changement sur le fonctionnement des banques. Celles-ci sont décidément suffisamment puissantes pour que les changements politiques ne remettent en cause ni leurs modes de gestion... ni leurs privilèges.

I / Les activités bancaires

Dans sa forme actuelle, l'activité bancaire peut s'analyser en quatre fonctions principales :

— *l'intermédiation,* qui consiste à collecter les disponibilités (épargne, dépôts) de certains agents économiques pour les reprêter à d'autres ;

— *la gestion des moyens de paiement*, puisque les banques créent de la monnaie — scripturale —, elles doivent assurer la circulation de cette monnaie, ce qui suppose le traitement des chèques, des virements, des effets de commerce, des comptes, etc. ;

— *les services financiers et divers* qui regroupent : la location de coffres, les services de caisse (retraits ou dépôts d'espèces), les services de change, les opérations de Bourse, les conseils, etc. ;

— *la gestion de la trésorerie et l'activité interbancaire* : la fonction d'intermédiation conduit la banque à avoir, temporairement ou structurellement, soit un excédent soit une insuffisance de ressources ; la fonction du trésorier consiste à réaliser cet ajustement, notamment en intervenant sur le marché monétaire soit comme prêteur soit comme emprunteur auprès d'autres banques ou institutions financières.

1. L'intermédiation

Puisque « les crédits font les dépôts », nous les aborderons successivement dans cet ordre.

La distribution des crédits

Il existe une multitude de crédits différents ; plutôt que de chercher à en faire un recensement exhaustif, on peut distinguer les différents critères qui caractérisent chacun d'entre eux :

● *La différenciation des crédits selon la durée*
La classification « officielle » française (selon le plan comptable bancaire) conduit à distinguer le court terme (moins de deux ans), le moyen terme (deux à sept ans) et le long terme. En fait, cette classification est très formelle et dans une certaine mesure artificielle. Ainsi les banques consentent parfois des crédits *spots*, c'est-à-dire à très court terme (un à trois mois) mais renouvelables. Hormis même ce cas particulier, la plupart des entreprises sont financées par des crédits à très court terme, constamment renouvelés, et qui, de fait, constituent un financement permanent à long terme.

● *La différenciation des crédits selon la fonction ou l'objet*
Au niveau des entreprises on peut distinguer :
— la « facilité de caisse », c'est-à-dire l'avance temporaire correspondant à un besoin momentané de trésorerie ;
— le crédit de campagne qui correspond souvent à une avance sur recettes et qui vise notamment dans les entreprises ayant une activité saisonnière à financer le cycle d'exploitation dans l'attente de la réalisation des produits ;
— le financement du besoin en fonds de roulement qui correspond au besoin issu de l'exploitation (stocks, crédit client moins crédit obtenu des fournisseurs). C'est le type même de financement à court terme qui, par le caractère cyclique de l'exploitation, tend à devenir permanent ;
— le financement des exportations ; il devrait logiquement

s'inscrire dans le cadre de l'exploitation courante mais en est distingué par les procédures spécifiques qu'il met en œuvre (crédit documentaire, c'est-à-dire justifié par les documents douaniers) et par les taux préférentiels dont il bénéficie ;

— l'équipement, c'est-à-dire l'investissement ;

Pour les particuliers les cas sont plus limités :

— la « facilité de caisse » existe également pour certaines fins de mois difficiles, etc. ;

— le crédit à la consommation (automobiles, électroménager) est plus le fait de certains établissements financiers spécialisés que des banques ;

— l'habitat constitue, en France, l'essentiel des crédits accordés aux particuliers.

- *La différenciation des crédits selon la forme*

Les formes utilisées sont multiples ; on peut distinguer essentiellement les suivantes :

— *Le prêt simple,* par lequel le banquier vire une somme donnée au compte de son client ; on l'appelle parfois crédit de trésorerie. Il donne généralement lieu à un contrat ou plus simplement à un ou des billets souscrits par le bénéficiaire à l'ordre de son banquier.

— *Le découvert* (ou avance en compte débiteur), permettant au bénéficiaire d'effectuer des règlements alors que son compte est débiteur. Cette procédure permet d'adapter exactement le crédit aux besoins, tant dans le montant que dans la durée, mais il est coûteux pour l'utilisateur notamment en raison de la pratique dite « des jours de valeurs ». Selon ce système, les intérêts ne sont pas calculés sur le solde réel du compte mais sur un solde calculé en fonction de décalages des opérations. Ainsi les encaissements sont considérés comme encaissés plusieurs jours après leur date effective, inversement les retraits sont anticipés. Le solde sur lequel les intérêts sont calculés est donc toujours plus défavorable au client de la banque que le solde réel. Ces jours de valeurs sont fondés sur les délais nécessaires à l'exécution de ces opérations ; aujourd'hui l'informatique réduit les délais mais les jours de valeurs subsistent.

— *L'escompte commercial* constitue la forme la plus importante de crédits aux entreprises. L'entreprise tire une traite sur son client pour matérialiser le crédit qu'il lui accorde puis remet cette traite au banquier qui avance les fonds correspondants (après déduction des intérêts ou agios). Comme nous l'avons déjà signalé, l'escompte est une pratique typiquement française. Pour l'utilisateur, l'escompte permet d'adapter automatiquement le volume de crédit au volume des opérations réalisées ; pour le banquier, il confère une double sûreté (sur son client et sur le tiré) et une possibilité de mobilisation par réescompte en cas de besoin de liquidité. Mais l'inconvénient majeur de l'escompte est son coût administratif dû au grand nombre de documents dont le traitement est difficile à automatiser. Plusieurs tentatives ont été faites pour simplifier le traitement administratif, notamment la lettre de change relevée (LCR) visant à supprimer le « papier » de la traite et à le remplacer par une bande magnétique. Pour l'instant, ces essais de modernisation se révèlent être de relatifs échecs.

— *Le crédit de mobilisation des créances commerciales* (CMCC) est un substitut de l'escompte ; comme lui, il a pour objet le financement du crédit interentreprises, mais il est global et se concrétise par des billets souscrits par l'entreprise au profit de son banquier. Il ne confère pas aux banques la même sûreté que la détention de traites. De fait, les banques réservent cette procédure aux grandes entreprises et ne l'accordent que rarement aux PME envers lesquelles leur confiance est généralement limitée.

— *L'affacturage* (ou *factoring*) est également un substitut de l'escompte. Il consiste pour l'entreprise à « vendre » les factures qu'elle a émises et qui sont donc représentatives de titres de créances à une banque ou à un établissement financier spécialisé appelé *factor*. Au-delà d'une forme de crédit, l'affacturage constitue également une prestation de service du *factor* puisque celui-ci garantit généralement la bonne fin des créances (c'est-à-dire assume le risque de non-paiement) et se charge d'en assurer le recouvrement.

Ces opérations peuvent se traduire par l'équation :

Affacturage = crédit + assurance + gestion du suivi et de l'encaissement des créances.

L'affacturage a connu un fort développement au cours

des dernières années mais il est très coûteux pour les entreprises.

— *Le crédit-bail* (ou *leasing*) est une procédure de financement des investissements par lequel une banque, ou un établissement financier spécialisé, acquiert un bien (mobilier ou immobilier) pour le louer à une entreprise (ou un particulier), cette dernière ayant la faculté de le racheter en fin de contrat à un prix convenu (valeur résiduelle). Le loyer incorpore donc deux éléments : un intérêt et la dépréciation du bien. Le crédit-bail s'est beaucoup développé depuis 1966 (date de sa création en France) ; il procure à la banque la meilleure des sûretés : celle du droit de propriété. Le crédit-bail explique une bonne partie des occupations d'usines. En effet, en cas de difficultés, le bailleur conserve le droit de reprendre les biens (machines) dont il est effectivement propriétaire, mais dans ce cas c'est la mort définitive de l'entreprise que les salariés s'efforcent d'éviter en gardant physiquement « l'outil de travail ». Forme encore plus élaborée du crédit-bail, le *lease back* consiste, pour une entreprise à court de liquidités mais possédant un patrimoine immobilier, à revendre celui-ci à un établissement financier qui à son tour le lui recède dans le cadre d'une opération de crédit-bail.

— *Le portage d'actions* est presque une opération de crédit-bail puisque, dans ce cas, le banquier souscrit ou achète des actions de l'entreprise. Si le portage se fait dans le cadre d'une augmentation de capital, il y a réellement apport de capitaux à l'entreprise, mais la banque exige généralement un dénouement à terme, c'est-à-dire un acheteur de ses actions qui ne peut être l'entreprise elle-même (elle ne peut posséder ses propres actions).

— *L'engagement par signature* : la banque peut également intervenir non pas en prêtant directement, mais en accordant sa garantie. Tel est le cas notamment des obligations cautionnées selon lesquelles les entreprises peuvent obtenir un délai pour le règlement de la TVA, moyennant la caution d'une banque.

L'analyse de ces principales formes de crédit montre que, notamment au cours des dix dernières années, le développement ne s'est pas du tout fait dans le sens prévu ou souhaité par les pouvoirs publics français — approche globale de

	Pourcentage
Entreprises	*51,2*
Trésorerie	21,4
Exportation	5,6
Investissements	23,5
Promoteurs	0,7
Particuliers	*27,3*
Trésorerie et consommation	4,3
Habitat	22,9
Administration publique	*14,3*
Autres crédits	*7,3*
Total	100,0

Source : Statistiques de la Banque de France, décembre 1985.

l'entreprise du type CMCC ou crédit global d'exploitation —, mais au contraire par une multiplication des procédures qui conduisent à un morcellement des crédits. Cette multiplication est due à une recherche systématique de sûretés par les banques (crédit-bail, affacturage, portage). *La banque française ne finance pas des entreprises et encore moins des projets mais des biens.* Cette attitude ne favorise pas le dynamisme de l'économie...

• *La différenciation des crédits selon la monnaie*

L'important développement des eurodevises au cours des vingt dernières années a favorisé les opérations en devises étrangères. Les entreprises peuvent ainsi financer leurs opérations d'importation ou d'exportation par des avances en devises consenties par leur banque. Souvent réservées aux grandes entreprises, ces avances ont connu au cours des dernières années une progression considérable et elles représentaient, à fin 1985, 25,7 % de l'ensemble des crédits accordés (francs et devises).

Cette pratique est encouragée par les autorités monétaires puisque ce type de crédits n'affecte par la masse monétaire, mais il reporte les risques de change sur les entreprises. Ainsi EDF a, en bonne partie, financé son programme d'édification de centrales nucléaires par des emprunts sur les euro-marchés lors des années 1978-1980 avec un dollar à 5 F ; emprunt qu'il fallait rembourser en 1984 avec un dollar à 8,50 F ! On comprend dans ces conditions les difficultés financières actuelles d'EDF et l'impossibilité de maintenir ses tarifs, malgré la surabondance d'électricité.

Les banques, elles, prennent moins de risques de change puisqu'elles n'ont qu'une fonction d'intermédiaire, et la hausse d'une devise se traduit par un gain sur leur client français équivalent à leur perte sur leur prêteur étranger.

● *La différenciation des crédits selon le bénéficiaire*

Le tableau IV donne une ventilation des crédits selon le bénéficiaire. Il n'existe pas de statistique véritablement plus fine, mais elle est pourtant suffisante pour une vision économique claire. En effet :

— les non-résidents sont essentiellement des entreprises étrangères clientes d'entreprises françaises exportatrices. Dans ce cas, il s'agit de « crédits acheteurs » par lesquels la banque française accorde un crédit non pas à l'entreprise française, mais à son client étranger permettant à celui-ci de régler comptant. Le crédit « acheteur » à un non-résident équivaut donc à un crédit à l'exportation ;

— les ménages regroupent à la fois les particuliers et les entrepreneurs individuels (commerçants, artisans, agriculteurs). Les crédits regroupés dans cette rubrique recoupent donc des fonctions économiques très différentes ;

— les sociétés comprennent à la fois les grands groupes multinationaux (y compris ceux à capitaux étrangers) et les PME, mais aucune banque ne donne de ventilation de ses crédits selon la taille des entreprises.

● *Les autres critères de différenciation des crédits*

Le cadre réglementaire imposé aux banques conduit également à distinguer les crédits selon qu'ils s'intègrent ou non dans certaines contraintes ; il s'agit notamment de :

— l'encadrement (ou contrôle du crédit) qui favorise certains types de crédits (exportations, habitat, investissements) ;

— la mobilisation ; certains types de crédits sont mobilisables auprès de l'Institut d'émission à des taux préférentiels ; ils permettent à la banque un refinancement avantageux.

Ces crédits désencadrés et/ou mobilisables sont donc recherchés par les banques.

Si elles ont toutes comme fonction la distribution de crédits, certaines (les banques de dépôts disposant d'un réseau) ont également une fonction de collecte.

La collecte des ressources

Pour distribuer des crédits, toutes les banques ont besoin de collecter un montant équivalent de ressources qui, fin 1985, s'analysaient ainsi pour l'ensemble des banques AFB [7] :

— Comptes ordinaires	44,8 %
— Comptes à terme	22,1 %
— Comptes d'épargne (livrets et plans d'épargne logement)	20,8 %
— Bons de caisse	8,7 %
— Divers	3,6 %
	100 %

Mais elles n'ont pas toutes le même type de ressources ; on peut en effet distinguer :
— celles qui n'ont pas de réseau de guichets (banques d'affaires, banques de crédit à moyen et long terme mais aussi un grand nombre de petites banques de dépôts), la collecte des ressources auprès de la clientèle ne couvre pour elles qu'une partie des crédits distribués ; elles doivent se procurer le complément sur le marché monétaire auprès d'autres banques ;
— celles qui ont un réseau de guichets important permettant de drainer l'épargne et les dépôts de toute la clientèle.

Chacun des quatre types de ressources présente, du point de vue du banquier, des caractéristiques propres ;
— les bons de caisse sont des ressources généralement

coûteuses (taux proche de celui du marché monétaire), mais stables (donc sûres pour la banque) en raison de leur durée généralement longue ;

— les comptes d'épargne sont faiblement rémunérés (4,5 % en 1986) et, bien qu'ils soient à vue, constituent des ressources structurellement stables. Mais, au grand dam des banquiers, ils sont fortement concurrencés par les caisses d'épargne puisqu'ils ne bénéficient pas comme elles du privilège d'exonération fiscale des intérêts. Actuellement les CODEVI placent les banques et les caisses d'épargne sur un pied d'égalité ;

— les comptes à terme constituent, malgré une réglementation de septembre 1981, une ressource coûteuse et relativement volatile : bloqués pour six mois, ils peuvent cependant à terme se déplacer vers d'autres placements tels qu'emprunts obligataires ou fonds communs de placement ;

— les comptes ordinaires sont les dépôts à vue ; ils ne coûtent pas d'intérêts à la banque mais lui génèrent des charges de fonctionnement en raison de la gestion des moyens de paiement qu'ils supposent.

2. La gestion des moyens de paiement

La gestion des moyens de paiement consiste pour les banques à assurer les services tels que : tenue des comptes, opérations de caisse, traitement des chèques, virements, effets de commerce ou avis de prélèvement. Ces services sont la conséquence naturelle de la création de la monnaie par les banques et constituent pour la clientèle la contrepartie de la mise à disposition de dépôts non rémunérés.

Selon une étude réalisée dans le cadre de la préparation au IXe Plan, la gestion des moyens de paiement représentait, en 1981, 43,1 % du total des frais généraux et des amortissements, c'est-à-dire de l'ensemble des charges d'exploitation des banques.

Le volume des opérations mesuré par le nombre de chèques, de virements, d'effets de commerce et d'avis de prélèvement est passé de 671 millions en 1970 à 4 115 millions en 1984, soit une croissance moyenne de 13,8 % par an. Parmi ces opérations, on aurait, en 1983, dénombré 800 millions de chèques inférieurs à 100 F.

Cette croissance, due à la bancarisation — développement du nombre de comptes *et* du nombre de règlements (y compris pour de petites sommes) effectués par chèques — a progressivement transformé les banques en une véritable industrie confrontée à des problèmes de production, de personnel, de productivité et de technologie.

3. Les services

La banque remplit des fonctions d'intermédiaire sur le marché financier :
— placements des titres (obligations) émis par les entreprises ;
— passation des ordres de Bourse ;
— paiement des coupons.
Elle offre également des services divers tels que locations de coffres et conseils.

De plus, certaines fonctions de service public lui sont dévolues, telles que contrôle des changes, déclarations fiscales (plus-values, revenu des valeurs mobilières...) ou collecte d'impôt (prélèvement libératoire). Sous l'égide de l'AFB (Association française de banques) les banques ont lancé en 1983 une campagne à destination des pouvoirs publics pour dénoncer ces contraintes dont le coût (qu'elles évaluent à 1 milliard de francs en 1980) ne devrait pas, estiment-elles, leur incomber. Si, dans un premier temps, leur argumentation apparaît fondée, on peut cependant objecter qu'à partir du moment où elles créent de la monnaie elles doivent assumer toutes les conséquences de cette création. Elles ne peuvent en effet revendiquer de bénéficier d'un quasi-monopole de création monétaire (qui leur procure des ressources partiellement non rémunérées) sans supporter les coûts de fonctionnement de cette monnaie. Elles seules ont d'ailleurs les moyens d'assurer ces fonctions pour la monnaie scripturale : les douaniers aux frontières voient-ils passer les chèques ou virements (souvent télégraphiques) ?

4. L'activité interbancaire et de trésorerie

Comme toutes les entreprises, les banques peuvent avoir momentanément ou structurellement des excès ou des insuffisances de trésorerie. Si une banque accorde plus de crédits qu'elle ne collecte de dépôts, elle connaîtra alors une insuffisance de trésorerie. Jusqu'en 1971, l'Institut d'émission faisait fonction de banquier des banques par la pratique du réescompte ; en dernier ressort, c'était donc lui qui finançait l'économie et assurait la création monétaire. Mais depuis cette date le réescompte a été remplacé par le marché monétaire, c'est-à-dire par la compensation entre banques de leurs excédents ou déficits de trésorerie. Les opérations sur le marché monétaire peuvent être à très court terme (vingt-quatre heures), à terme (un à six mois) et même à long terme (plusieurs années).

La réforme de 1971 vient donc s'ajouter à celles des années 1966-1967, en favorisant la « libéralisation » de l'activité bancaire. Celle-ci reste toutefois partielle puisque la Banque de France intervient — comme toute banque — sur le marché monétaire, mais avec un poids suffisant pour y déterminer le taux d'intérêt. Le changement réside surtout dans le fait que la Banque de France intervient dorénavant de façon globale — le marché monétaire affecte uniformément l'ensemble des banques — et non plus de façon directive vis-à-vis de chacune des banques.

Les transactions sur ce marché se font essentiellement par téléphone et sont le fait des trésoriers des banques. Ils peuvent effectuer des opérations directes entre établissements, utiliser les services d'un *courtier* ou bien encore traiter avec une *maison de réescompte*.

Les transactions prennent plusieurs formes :
— la *pension* (sous-entendu d'effets) qui consiste en une vente au comptant assortie d'un engagement de rachat à terme ;
— la *vente ferme* qui est une vente définitive ;
— la *vente en blanc* : dans ce cas le crédit ne se fait pas « contre effets » comme dans les deux cas précédents, mais simplement par mouvement en compte entre établissements (l'un accordant en quelque sorte un découvert à l'autre).

Les banques peuvent également intervenir directement auprès de l'Institut d'émission sans recourir au marché monétaire, soit en mobilisant des titres (pour l'essentiel ceux qui bénéficient de taux préférentiels tels que les crédits à l'exportation) pour en obtenir des liquidités, soit, au contraire, en souscrivant des bons du Trésor pour placer des disponibilités.

En France, certains établissements sont structurellement prêteurs ; tel est le cas de la Caisse des dépôts et consignations, du Crédit agricole ainsi que de compagnies d'assurance et caisses de retraite. D'autres sont structurellement emprunteurs ; c'est le cas notamment des établissements financiers et des banques d'affaires. Mais ces concepts de prêteurs ou d'emprunteurs structurels varient selon que l'on considère un établissement ou le groupe auquel il appartient. Ainsi la BNP apparaît prêteuse, mais sa filiale banque d'affaires, le BANEXI, est, elle, emprunteuse.

Le groupe BNP doit être, lui, conjoncturellement prêteur ou emprunteur. La parcimonie des informations fournies par les banques, surtout au niveau des groupes, ne permet pas de connaître ceux qui sont emprunteurs.

Au-delà de ces opérations qui concernent la monnaie locale, le franc, les banques, et surtout les banques françaises, font également d'importantes opérations interbancaires en devises soit avec des banques locales soit avec l'étranger. Nous reviendrons plus loin (quatrième partie, chapitre III) sur cet aspect de leur activité.

II / Les critères de gestion bancaire

Lors du Conseil des ministres du 17 février 1982, qui procédait à la nomination des administrateurs généraux des entreprises nationalisées, le président de la République déclarait : « Il ne faut pas que les entreprises industrielles et les banques soient des appendices de l'administration. Leur autonomie de décision et d'action doit être totale. » Le principe de « l'autonomie de gestion » était ainsi fixé dès le début des nationalisations, de façon d'ailleurs plus large encore pour les banques, puisque, contrairement aux entreprises industrielles, elles ne sont pas soumises à des contrats de plan. Mais qu'elles soient nationalisées ou privées et que l'Etat soit socialiste ou libéral, les banques sont, comme toutes les entreprises, gérées en fonction des objectifs de maximisation du profit et de minimisation des risques... sous respect des contraintes réglementaires.

1. La rentabilité

Pour qu'une banque dégage un bénéfice, il faut que ses produits bancaires (essentiellement constitués des intérêts perçus sur les crédits qu'elle distribue) excèdent ses charges bancaires (essentiellement constituées des intérêts payés sur les ressources collectées) et que le solde ainsi calculé, appelé *produit net bancaire* ou PNB, soit supérieur aux *charges d'exploitation* (frais de personnel, impôts, loyers, amortissement...).

Ce qui peut encore s'exprimer par les deux équations suivantes :

Produits bancaires − Charges bancaires = PNB
PNB − Charges d'exploitation = Résultat

Cette approche qui correspond — de façon simplifiée — au plan comptable bancaire montre que la rentabilité des banques s'analyse à deux niveaux : d'une part, le PNB et, d'autre part, les charges d'exploitation.

Le tableau VIII résume la formation du résultat des banques inscrites en 1984.

La formation du PNB

On peut considérer que l'activité bancaire consiste à vendre des crédits à un prix déterminé (taux des crédits) et à les racheter à un prix différent et inférieur (taux de rémunération des dépôts). Dans cette optique, le PNB est assimilable à une marge commerciale traditionnelle. Sa formation résulte alors d'un volume d'affaires (capitaux mis en œuvre) et d'un taux de marge (différence entre les taux moyens des crédits alloués et des dépôts collectés).

En 1984, cette analyse, pour les seules opérations effectuées avec la clientèle (à l'exclusion donc des opérations interbancaires), conduit aux chiffres suivants :

TABLEAU IX. — LA FORMATION
DU PRODUIT NET BANCAIRE CLIENTÈLE EN 1984

	Intérêts en MF	Capitaux moyens en MF	Taux moyens
Rendement des emplois (crédits)	178 182	1 360 980	13,10 %
Coût des ressources (dépôts)	59 297	953 427	6,22 %
Taux de marge clientèle			6,88 %

Source : Rapport de la Commission de contrôle des banques.

TABLEAU VIII. — ANALYSE DU RÉSULTAT DES BANQUES INSCRITES EN 1984
(Chiffres en milliards de francs)

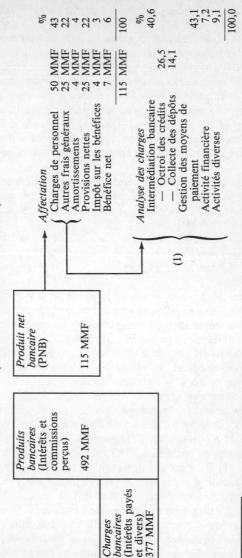

| Produits bancaires (Intérêts et commissions perçus) | 492 MMF |
| Charges bancaires (Intérêts payés et divers) | 377 MMF |

| Produit net bancaire (PNB) | 115 MMF |

Affectation

		%
Charges de personnel	50 MMF	43
Autres frais généraux	25 MMF	22
Amortissements	4 MMF	4
Provisions nettes	25 MMF	22
Impôt sur les bénéfices	4 MMF	3
Bénéfice net	7 MMF	6
	115 MMF	100

Analyse des charges

		%
Intermédiation bancaire		40,6
— Octroi des crédits	26,5	
— Collecte des dépôts	14,1	
Gestion des moyens de paiement		43,1
Activité financière		7,2
Activités diverses		9,1
		100,0

(1)

1. Cette analyse ayant été effectuée à partir d'un échantillon représentatif de banques, seuls les pourcentages sont significatifs.

Sources : Rapport 1984 de la Commission de contrôle des banques. Rapport du groupe de travail sur le coût de l'intermédiation bancaire au commissariat général du Plan.

La comparaison des produits et des charges (178 182 MF − 59 297 MF = 118 885 MF) conduit d'ailleurs à un chiffre proche du PNB qui figure dans le tableau VIII ; la différence s'explique par le solde des opérations interbancaires, les commissions, les revenus du portefeuille de titres...

Le PNB résulte donc d'un volume d'opérations (capitaux moyens) et d'un taux de marge. Le volume des opérations est, au niveau macro-économique, déterminé par la masse monétaire et, au niveau micro-économique, par la taille de chaque banque (part de marché dans la distribution des crédits) ainsi que par sa stratégie propre (acceptation ou non des risques).

Le taux de marge varie considérablement selon le type d'activité exercée par chacune des banques ; ainsi ce taux moyen de 6,28 % s'analysait comme suit pour 1984 :

— BNP, CL et SG   6,74 %
— banques de province   10,70 %
— banques étrangères   4,20 %

Le taux plus important des banques de dépôts résulte de ce qu'elles disposent d'un réseau de collecte leur permettant de drainer notamment des dépôts non rémunérés ou de l'épargne faiblement rémunérée. En contrepartie, elles doivent supporter les charges d'exploitation que génèrent de tels réseaux. Inversement, les banques étrangères ou de crédit à long et moyen terme se financent essentiellement sur le marché monétaire mais n'ont que peu de charges d'exploitation.

Le taux de marge dépend également du niveau général des taux en vigueur ; ainsi le taux de base bancaire moyen est passé de 12,50 % en 1980 à 14,14 % en 1981 et le taux de marge moyen est passé de 6,88 % à 7,29 %. Le taux de base bancaire, TBB, n'est d'ailleurs qu'un taux de référence ; théoriquement, il représente le taux appliqué aux meilleurs clients des banques. Mais en 1986, le TBB était de 9,6 % alors que les taux pratiqués (hors taux bonifiés) allaient de 10,6 % (crédit export) à 18 % (crédit à la consommation). Les banques profitent donc de la hausse générale des taux d'intérêt (généralement due à l'action de l'Institut d'émission pour défendre la monnaie) puisque tous leurs crédits suivent ce mouvement alors qu'une large partie de leurs ressources restent à taux fixes (comptes d'épargne) ou nuls (comptes de dépôts ordinaires). Ce mouvement est d'ailleurs différencié ; ce sont essentiellement les banques de dépôts à large réseau de collecte qui profitent de la hausse des taux. Le PNB des banques d'affaires est davantage, lui, déterminé par la différence qui existe entre le taux du marché monétaire (qui détermine l'essentiel du coût de leurs ressources) et le TBB.

Les charges d'exploitation

Comme dans toute entreprise, les charges d'exploitation peuvent s'analyser selon leur nature (conformément à la comptabilité générale) et selon leur fonction (d'après la comptabilité analytique ou comptabilité de gestion).

Le tableau X, élaboré à partir des données comptables de la BNP (que l'on peut considérer comme représentative de l'ensemble des banques de dépôts françaises), montre que la structure des charges d'exploitation évolue très sensiblement.

TABLEAU X. — L'ÉVOLUTION DES CHARGES
ET DU RÉSULTAT BANCAIRE
(Chiffres en francs constants 1985)

	1979	*1982*	*1985*
PNB	100	123	125
Salaires	100	101	100
Frais généraux	100	110	124
Provisions	100	444	423
Bénéfice	100	137	179

La forte augmentation du PNB provient de la bancarisation croissante et de la hausse des taux au cours de la période observée. L'évolution des charges d'exploitation (frais de personnels et autres frais généraux) résulte de plusieurs phénomènes :
— bancarisation ;

— politique du personnel (l'embauche a été pratiquement stoppée depuis 1978) ;
— informatisation, notamment depuis 1978 (croissance plus rapide des autres frais généraux que des frais de personnels).

On constate également l'importance croissante des provisions due bien sûr aux défaillances d'entreprises, mais aussi et surtout de pays (Mexique, Argentine, Corée du Sud, Pologne...), auprès desquels les banques françaises sont très prêteuses.

L'approche analytique est plus récente dans les banques ; le type d'informations qu'elle fournit est considéré comme confidentiel.

Le tableau XI donne une version analytique des charges correspondant aux principales fonctions bancaires: intermédiation, gestion des moyens de paiement, activités financières et diverses. Un affinement du coût de la gestion des moyens de paiement peut être obtenu en calculant les coûts des différents supports. Un groupe de travail dirigé par le gouverneur de la Banque de France a abouti aux conclusions suivantes :

TABLEAU XI. — LE COÛT DE TRAITEMENT UNITAIRE
DES DIFFÉRENTS MOYENS DE PAIEMENT
(en francs constants 1982)

	1978	1982
Chèques	5,82	3,15
Avis de prélèvement	2,20	1,05
Virement papier	16,50	21,5
Virement automatisé	1,5	1,0
Effet de commerce	20,0	22,0
Carte bancaire : facture	—	5,95
Carte bancaire : retrait	—	8,5
Chèque de retrait	—	13,75

Source : *Rapport de la Commission* présidée par Renaud de La Genière (gouverneur de la Banque de France).

Malheureusement, aucune actualisation de ces chiffres n'a été réalisée. Les banques préfèrent garder ces chiffres confidentiels pour mieux les facturer (« tarifer ») à leurs clients... En 1986, on a estimé le coût du chèque à 2,50 F. Ces chiffres appellent plusieurs commentaires :

— ce sont les supports non standardisés (virements papier et effets de commerce) qui ont de loin les coûts les plus élevés ;

— les coûts des supports standardisés (chèques, avis de prélèvement, virements automatisés) ont été pratiquement divisés par deux au cours des quatre années. Ce considérable gain de productivité est dû à la forte augmentation des volumes traités (2,8 milliards de chèques traités en 1982 contre 1,7 milliard en 1978, soit 65 % d'augmentation) et au développement de l'informatique ;

— la comparaison des coûts relatifs explique certains aspects de la stratégie des banques tels que l'incitation au paiement par avis de prélèvement (l'argumentaire sur les avantages pour la clientèle est secondaire...) et le développement des distributeurs automatiques de billets (DAB) qui permettent d'économiser plus de 7,5 F par rapport à un chèque de retrait.

2. Les risques

En accordant des crédits, la banque prend plusieurs types de risques qui sont déterminés soit par la qualité de l'emprunteur (insolvabilité), soit par l'évolution économique générale (risques de taux et de change), soit encore par la structure financière de la banque.

• *L'insolvabilité* représente le principal risque, l'importance des provisions en témoigne (25 milliards de francs en 1984). Pour se prémunir, les banques, et surtout les françaises, se fient davantage à l'efficacité des sûretés réelles (hypothèques) ou personnelles (cautions) qu'à une analyse économique de la situation de l'emprunteur.

Le développement des opérations internationales a fait naître d'autres types de risques ; on distingue ainsi les *risques pays* (pays à économie faible et très endettés) et parmi ceux-ci les *risques souverains* (lorsqu'une banque commerciale prête à une banque centrale étrangère).

L'importance des dotations aux provisions rend problématique l'analyse du résultat des banques ; en 1984, avec 25 milliards, les provisions représentaient presque quatre fois les bénéfices nets : 7,7 milliards.

Pour se justifier, les milieux bancaires utilisent dorénavant l'expression : « effort en provision » (voir notamment le rapport de la Commission de contrôle des banques pour 1985). Sur la forme, l'expression est contestable puisque constater une provision en comptabilité n'est qu'un jeu d'écritures qui doit avoir pour objet de présenter un bilan sincère. Cela ne demande aucun « effort », courage ou sacrifice particulier... hormis celui de diminuer le bénéfice imposable. Sur le fond, ces provisions sont également fondées sur l'insuffisance des capitaux propres des banques françaises (ces capitaux constituent la garantie des tiers) mais elles ont pour effet de diminuer les bénéfices constatés, donc ces mêmes capitaux propres... On tourne en rond.

• *L'évolution économique générale* peut créer d'autres types de risques pour la banque. Il s'agit notamment du *risque de taux*. Soit par exemple une banque qui consent un crédit à moyen terme au taux de 13 % ; si ultérieurement les taux montent et que la banque est obligée, par manque de liquidités, de se refinancer sur le marché monétaire à un taux de 15 %, sa marge devient alors négative de 2 %. Le même type de risque existe sur les ressources ; ainsi en 1982 les banques françaises de dépôts ont émis pour 15 milliards d'emprunts obligataires à des taux voisins de 16 % : si les taux d'intérêt appliqués à la clientèle baissent, le coût de la ressource devient alors supérieur à celui des emplois.

Pour se prémunir contre les risques inhérents à ces variations de taux, les banques s'efforcent d'« adosser » constamment leurs ressources longues à des emplois longs ; c'est une des fonctions du marché monétaire à long terme. Il en résulte qu'une banque peut être emprunteuse à court terme et prêteuse à long terme, ou inversement.

On peut citer le cas du Crédit lyonnais qui a fait des

pertes importantes en 1974. La direction a affirmé que ces pertes étaient imputables à la grève de ses services informatiques, mais les salariés soutiennent, sans être vraiment démentis, que ces pertes provenaient davantage du « jeu » à la hausse des taux pratiqué par la direction en début d'année (recherche de ressources longues non « adossées ») alors qu'ensuite les taux ont évolué à la baisse.

L'évolution des *taux de change* peut également conduire à des pertes (ou des profits) importantes puisque les banques françaises sont fortement engagées en devises (approximativement la moitié de leur bilan). Elles peuvent cependant se couvrir de ce risque (et presque toutes affirment le faire) en évitant de prendre des « positions de change », attitude qui consiste, pour chaque devise et pour des termes identiques, à avoir autant de créances que de dettes. Dans ce cas, la variation du cours des devises n'affecte pas le résultat.

• *La structure financière* de la banque détermine donc l'importance des risques — taux et change — qu'elle prend. Se pose là le problème de la *transformation* pour les banques qui ont des emplois (crédits accordés) à plus long terme que les ressources collectées. Compte tenu de la préférence pour la liquidité de la plupart des épargnants, cette transformation est inévitable. Si elle est importante (par exemple, lorsque 60 % du total des ressources sont à vue ou à très court terme et que, inversement, 60 % du total des crédits sont à moyen ou long terme) la banque augmente son risque de taux et, de plus, se crée un *risque de liquidité* au cas où les déposants demanderaient à retirer leurs fonds.

3. Les contraintes réglementaires

Les contraintes réglementaires émanent de l'autorité de tutelle (ministère de l'Economie, Institut d'émission, Conseil national du crédit) ; elles sont destinées à assurer la sécurité des dépôts et à mettre en œuvre la politique monétaire du gouvernement.

La sécurité des dépôts

Il existe un nombre important de dispositions réglementaires ayant pour objet d'éviter que les banques ne prennent des risques trop importants, visant ainsi à assurer la sécurité des déposants. L'essentiel du dispositif repose sur trois ratios : liquidité, couverture et division des risques.

• *Le ratio de liquidité* consiste à exiger que le rapport des crédits à moins de trois mois sur les dépôts à moins de trois mois soit supérieur ou égal à 60 % [2]. Autrement dit, il ne doit pas y avoir plus de 40 % de ressources courtes finançant des emplois longs (à plus de trois mois). Ce ratio a pour but de limiter la transformation effectuée par les banques (utilisation des ressources à court terme pour financer des crédits à long terme), ce qui leur crée un risque de liquidité.

• *Le ratio de couverture des risques* a pour objet de limiter le risque d'insolvabilité des banques. Les fonds propres (capital et réserve) doivent représenter 5 % des risques accordés par la banque selon une réglementation complexe ; celle-ci prévoit les modalités selon lesquelles les banques qui n'atteignent pas ce ratio doivent progressivement s'en rapprocher.

• *Le ratio de division des risques* limite le volume des crédits qu'une banque peut accorder à un même client. Il évite aussi les risques qui pourraient découler d'une trop forte concentration des engagements de la banque en cas de défaillance de ses clients.

La mise en œuvre de la politique monétaire

Les objectifs d'une politique monétaire sont essentiellement, d'une part, la défense de la monnaie (maintien de la parité de change) et, d'autre part, la lutte contre l'inflation.

---

2. Il s'agit là d'une expression simplifiée de ce ratio dont le calcul réel est complexe puisqu'il intègre une partie des crédits à plus de trois mois s'ils sont mobilisables.

La solution classique, utilisée par la plupart des pays, consiste en une *action par les taux* ; une hausse de ceux-ci attire les capitaux étrangers (défense de la monnaie) et, en renchérissant le coût du crédit, limite le développement de la masse monétaire (effet anti-inflationniste) puisque « les crédits font les dépôts ». Mais la hausse du taux d'intérêt agit également d'une façon contraire à son objectif puisqu'elle contribue à une augmentation des coûts et donc des prix (inflation par les coûts). Pour éviter cet effet pervers, la France a pratiqué, de 1972 à 1986, une régulation de la masse monétaire par la technique dite de l'encadrement ou du contrôle quantitatif.

Jusqu'à fin 1984, cette technique consistait à fixer pour chaque mois des indices de progression des crédits que chaque établissement devait respecter sous peine d'encourir des pénalités (constitution de réserves obligatoires non rémunérées). Ainsi, pour 1982, en prenant pour base 100 les crédits effectivement distribués en décembre 1981, le volume autorisé pour chaque banque était, pour les douze mois consécutifs de 1982 : 99,5 ; 100 ; 100,5 ; 101 ; 101 ; 101,5 ; 102,5 ; 102,5 ; 103 ; 103 ; 103,5 ; 104,5. La variation de ces indices était destinée à tenir compte de la saisonnalité, mais on voit que pour 1982 la progression autorisée était de 4,5 % (décembre 1982 par rapport à décembre 1981). Différentes mesures assouplissaient ce système qui était cependant fort critiqué notamment parce qu'il « figeait » les situations des différentes banques (les obligeant toutes à une même évolution) et donc freinait la concurrence interbancaire.

Fin 1984, M. Bérégovoy, alors ministre de l'Economie, a remplacé l'encadrement par le *contrôle quantitatif,* dispositif légèrement différent, plus souple, mais conservant l'esprit de l'encadrement : c'était un contrôle de la masse monétaire par une action directe sur les crédits.

A compter du 1er janvier 1987, l'encadrement, ou son substitut, est supprimé ; la France revient à la technique classique d'action sur les taux. La politique monétaire ne passe donc plus par une réglementation, mais par une régulation dirigée par la Banque de France.

Quatrième partie

Les banques et l'économie

Dès lors qu'elles ont le pouvoir de créer l'essentiel de la masse monétaire, les banques apparaissent comme dotées d'une puissance considérable puisqu'elles président à l'allocation d'une ressource particulière : la monnaie. Il ne s'agit donc pas, ou surtout plus, comme on le décrivait au XIXᵉ siècle, d'un commerce semblable aux autres. Leur pouvoir est à la fois macroéconomique (notamment par le volume global de monnaie créée), mésoéconomique (par les choix d'orientation des crédits, elles dirigent la politique industrielle) et microéconomique (dans les relations avec la clientèle). De plus, au cours des dernières décennies, les banques, et surtout les banques françaises, ont accompagné ou parfois devancé l'internationalisation de l'économie. Cela leur confère de nouvelles responsabilités de nature géopolitique qui leur permettent de négocier en égal avec les Etats, y compris celui de leur pays d'origine.

I / Les banques et la monnaie

L'usage de la monnaie scripturale est maintenant largement admis et la fuite devant la monnaie bancaire est peu envisageable. De plus, les contrôles des changes évitent les fuites d'une monnaie nationale vers une autre. Les agents économiques ne peuvent donc opérer entre eux que des transferts de la monnaie créée par les banques. Celles-ci ont par conséquent, globalement et collectivement, une garantie de fait de conserver ou plutôt de récupérer la monnaie qu'elles créent. Les mécanismes autorégulateurs du marché ne fonctionnent donc que très peu au niveau des banques et il n'y a pratiquement pas, au sein du système bancaire, de limite à la distribution des crédits. Or, qu'elles soient publiques ou privées, les banques ont une logique propre de développement de leur établissement et/ou de maximisation du bénéfice. L'Etat doit donc intervenir pour réguler la masse monétaire. Cette régulation se fait selon les pays soit par action sur le volume des crédits (encadrement) soit par les taux (au niveau du marché monétaire).

1. L'encadrement du crédit

La technique de l'encadrement est particulière à la France. Dans la plupart des autres pays, le contrôle de la masse monétaire procède davantage par action sur le refinancement des banques auprès de l'Institut d'émission et/ou par action sur les taux (une hausse des taux diminue la demande de crédits, donc le volume de la masse monétaire).

Cette pratique française remonte au premier « plan de stabilisation » mis en place de 1963 à 1965 sous l'égide de Valéry Giscard d'Estaing, alors ministre de l'Economie. Elle dut être reprise en 1972 et, sous des modalités variables, n'a plus cessé. La spécificité de cette technique est liée à la structure du système bancaire français. Rappelons que, malgré les mesures prises en 1966-1967, il reste très hétérogène (cloisonnement entre banques de dépôts et banques d'affaires) et très proche de l'Etat (importance du secteur nationalisé ou parapublic, même avant les nationalisations de 1982, et dirigisme monétaire par la multiplication des procédures, notamment par crédits privilégiés). Dans ce contexte, une action indirecte — sur les liquidités des banques ou sur les taux — aurait inévitablement eu des effets très différents selon les banques. Ainsi les banques de dépôts [1] disposant, de par leur réseau de collecte, d'une grande autonomie dans leurs ressources auraient été avantagées par rapport aux banques d'affaires structurellement emprunteuses sur le marché monétaire. En clair, l'encadrement a été une réponse politique à la structure du système bancaire français pour ne pas pénaliser les banques privées au profit des banques nationalisées ou à forme coopérative. De plus, la technique a permis une *dénationalisation rampante.* Ainsi, jusqu'en 1982, les normes de progression des crédits étaient essentiellement différenciées selon la taille des banques, ce qui privilégiait donc les banques privées au détriment des grandes nationalisées. Les normes de progression étaient en effet plus faibles pour les établissements de première catégorie (distribuant plus de 6,5 milliards de crédit, c'est-à-dire de fait les banques nationalisées) que pour ceux de deuxième catégorie.

Officiellement, cette politique s'abritait derrière la nécessité de ne pas figer les positions et de favoriser les petites banques (ou celles à structure déconcentrée telles que le CIC)

---

1. Dont la plupart étaient nationalisées (BNP, Crédit lyonnais, Société générale) ou coopératives (Crédit agricole, Banques populaires).

QUELQUES PROCÉDÉS POUR LIMITER
LES EFFETS DE L'ENCADREMENT DU CRÉDIT
OU DU CONTRÔLE QUANTITATIF

L'encadrement du crédit est fortement critiqué par les banques puisque, en limitant la progression des crédits qu'elles peuvent accorder, il limite les intérêts qu'elles perçoivent, donc leurs produits. Les banques s'efforcent de contourner cette contrainte par divers procédés plus ou moins réguliers.

Renforcement de leurs fonds propres : l'excédent des fonds propres des banques sur leurs capitaux immobilisés (fonds de roulement) permet aux banques de distribuer des crédits hors encadrement. Le renforcement des fonds propres est parfois obtenu par des moyens artificiels, par exemple en revendant les titres d'une filiale à une autre filiale non bancaire, ce qui permet à la fois de diminuer les capitaux immobilisés (titres de participation) et d'augmenter les fonds propres (plus-value constatée à cette occasion).

Emission d'emprunts obligataires : du point de vue de l'encadrement du crédit, les emprunts obligataires émis par les banques sont assimilés à des fonds propres ; les banques émettent donc des emprunts non seulement pour se procurer des ressources mais surtout pour se donner des possibilités de distribution de crédits hors encadrement ; elles ont ainsi émis pour 15 milliards d'emprunts obligataires en 1983. Pour limiter cet effet, ils ne seront repris que pour la moitié de leur valeur dans le calcul de l'encadrement, à compter de 1984.

Contraction des crédits en fin de mois : techniquement, l'encadrement du crédit se calcule à partir du volume des crédits accordés par les banques en fin de mois. Diverses techniques (reports d'échéances...) permettent de diminuer les crédits à cette date pour les faire réapparaître les jours suivants. Cela se pratique surtout avec les entreprises qui y trouvent également leur intérêt par une amélioration de la présentation de leurs bilans.

Distribution de crédits en devises : les crédits accordés en devises aux entreprises ne sont pas soumis à l'encadrement (les devises sont censées ne pas gonfler la masse monétaire en francs). Ces crédits croissent à une vitesse vertigineuse : +35,1 % en 1982 contre 14,6 % pour les crédits en francs. Cela contribue à expliquer l'augmentation de la dette étrangère française...

Développement des « face à face » : lorsqu'une banque collecte les excédents de trésorerie d'une entreprise pour les reprêter à une autre, cela augmente d'autant ses crédits soumis au contrôle quantitatif ; or, souvent, pour les grandes entreprises, ces opérations se font à des marges très réduites, voire nulles. Les banquiers ont pris l'habitude de faciliter le « face à face », c'est-à-dire les prêts directs d'une entreprise à une autre. Depuis 1985, cette pratique est d'ailleurs institutionnalisée dans le cadre des *billets de trésorerie* émis par les entreprises emprunteuses et souscrits par les prêteuses. Ces procédures constituent un des aspects de la *désintermédiation* : les banques ne sont plus intermédiaires entre les prêteurs et les emprunteurs.

présumées plus dynamiques. Elle s'appuyait sur le fait que les grands établissements pouvaient trouver une compensation dans leur activité internationale. Mais la technique de l'encadrement a été estimée trop dirigiste et pas assez libérale. De fait, elle correspond effectivement à une relation directe et réglementaire de tutelle vis-à-vis de chaque banque, alors qu'une action plus « classique », par les taux, s'adresse à un marché sur lequel les banques sont présentes.

2. L'action sur les taux

L'action des autorités de tutelle sur les taux s'exerce soit par les procédures de refinancement (taux privilégiés) soit par la manipulation du taux du marché monétaire (TMM). Mais tous les autres taux, et notamment le taux de base bancaire, restent « libres », c'est-à-dire théoriquement fixés par le « jeu du marché ». Là encore, la structure du système bancaire français est déterminante. En effet, les banques de dépôts qui disposent de leur réseau de collecte et ne sont pas emprunteuses sur le marché monétaire, devraient donc normalement pouvoir fixer les conditions de leurs crédits indépendamment du TMM.

En revanche, les banques (notamment celles d'affaires) qui font largement appel au marché monétaire ne peuvent accorder des crédits à un taux inférieur à celui de leurs ressources. Si le marché fonctionnait normalement, il ne devrait pas y avoir *un* taux de base bancaire (TBB), mais *des* taux selon les structures financières des différentes banques. Mais tel n'est pas le cas et, jusqu'en juillet 1981, le TBB (unique) restait toujours au-dessus du TMM.

Il existe donc de fait un *cartel bancaire* qui simule un marché ; ainsi les variations du TBB sont presque toujours annoncées par l'une des trois grandes banques (à tour de rôle), les autres s'alignant dans les vingt-quatre heures suivantes. Cette comédie ne trompe personne, mais elle sauve l'apparence de la concurrence et du libre jeu du marché.

Les variations du TMM sont, elles, dues à l'action de la Banque de France sur le marché monétaire ; elles ont essentiellement une fonction externe de protection de la monnaie. Une hausse des taux maintient ou attire les capitaux détenus par les non-résidents. Mais en fait, si le système bancaire français n'était pas aussi hétérogène [2], le TBB et le TMM pourraient varier plus indépendamment l'un de l'autre et, notamment en période de faiblesse du franc, le TMM pourrait monter sans que le TBB soit obligé de le suivre. Le TMM est en effet, par définition, un taux interbancaire qui ne modifie pas le coût des ressources globales du système bancaire. Telle est d'ailleurs la théorie du parti socialiste qui prônait une déconnexion des taux [13] des marchés intérieur et extérieur. Le maintien d'un TBB lié, et supérieur, au TMM est essentiellement dû à la structure financière des banques d'affaires ; cela permet, au passage, aux banques de dépôts de réaliser d'importants bénéfices.

Une certaine déconnexion a été opérée en France, notamment en 1981 et 1982 et surtout à partir du moment où, en septembre 1981, Jacques Delors déclara : « Les banquiers m'écœurent. » En fait, le ministre de l'Economie voulait empêcher les banques de prendre prétexte de l'augmentation du TMM pour augmenter le TBB.

Cette pression politique s'est révélée efficace puisqu'elle a permis de maintenir le TBB aux alentours de 14-14,5 % au cours du second semestre 1981 alors que le TMM évoluait autour de 16 %. Mais cette déconnexion trouve ses limites. Dans le système bancaire français, un tel différentiel négatif de taux pourrait être fatal aux banques sans ressources propres. Les politiques monétaire et industrielle du gouvernement français se heurtent là à des contraintes et à des résistances importantes que même la nationalisation de la quasi-totalité des banques n'a pas vaincues.

La baisse régulière du TMM à partir de 1983 n'a été que partiellement répercutée sur le TBB ; un véritable effet de

2. Certaines banques, notamment les banques d'affaires ou de groupe (Banque de l'Union européenne, Crédit chimique), obtiennent l'essentiel de leurs ressources du marché monétaire alors que d'autres (Crédit agricole, Banques populaires) dégagent un excédent de leurs ressources clientèle sur leurs emplois clientèle ; une hausse du TMM pénalise les premières alors que, au contraire, elle avantage les secondes.

cliquet à la baisse semble jouer. Pourtant, de nombreuses mesures ont eu pour objectif de permettre la concurrence bancaire (et donc la baisse des taux), mais les banques préfèrent manifestement une gestion administrée aux hasards du marché !

Ce dernier revient pourtant en force à partir du 1er janvier 1987 avec la suppression de l'encadrement du crédit.

Le nouveau système ne change pas les objectifs — la progression de la masse monétaire reste contrôlée —, mais les moyens. Désormais, « l'instrument principal de la masse monétaire sera l'action sur les taux d'intérêts au travers de mécanismes de marché plus flexibles et plus concurrentiels ; la Banque de France alimentera les banques en liquidités ou leur en retirera en fonction de son objectif de masse monétaire par des appels d'offres, en ajustant ensuite sur le marché à la marge » (déclaration de M. Balladur en date du 18 novembre 1986).

Concrètement, les réserves obligatoires assises sur les crédits sont supprimées et remplacées par des réserves sur les dépôts et le marché monétaire est libéralisé (le taux fixé est remplacé par un taux constaté, même si ce dernier est le résultat des interventions de la Banque de France).

Si, par exemple, la Banque de France estime le gonflement de la masse monétaire excessif, elle intervient alors en tant qu'emprunteur sur le marché monétaire. Cette action, d'une part, fait monter les taux et, d'autre part, assèche les liquidités bancaires. Les crédits s'en trouvent automatiquement raréfiés.

Cela constitue certes un libéralisme plus grand de l'Etat vis-à-vis des banques, mais aussi et surtout de la France vis-à-vis de l'extérieur. En effet, le taux du marché monétaire n'est pas déterminé seulement par les considérations internes (inflation), mais aussi et surtout par les considérations externes (force ou faiblesse du franc sur le marché des changes).

II / Distribution du crédit
et politique industrielle

Si le taux du marché monétaire ne doit pas diriger le taux du crédit, quelle doit être alors la base de référence ? Le taux d'intérêt, répond le ministère de l'Economie, n'est que le prix du crédit et, comme tel, il doit être fixé en fonction de son coût pour le système financier. Ainsi amorcé en 1982, le débat sur les taux s'est transformé en un débat sur le coût de l'intermédiation. Nationalisées ou privées, les banques présentent un front uni ; la logique de défense de l'institution passe avant les clivages politiques. Pour justifier leur pratique de taux, elles avancent les arguments suivants :
— le bénéfice net des banques n'est pas excessif ; en 1984, il ne représentait que 8 % du produit net bancaire. Selon une étude de la revue *The Banker* en 1981, la BNP et le Crédit lyonnais n'apparaissent qu'aux quinzième et dix-neuvième rangs du classement des banques mondiales selon le bénéfice, alors qu'elles apparaissent respectivement aux troisième et cinquième rangs selon le total du bilan ;
— les banques françaises souffrent d'une insuffisance chronique de fonds propres, notamment par rapport à leurs homologues étrangères. Toujours selon cette même étude, le rapport fonds propres sur total du bilan était de 1,3 % pour la BNP contre 3,8 % pour ses concurrents américains immédiats : Citicorp et Bank of America. Sur le territoire national, le Crédit agricole est mieux doté en fonds propres que ses collègues français (le rapport ci-dessus est de 5 %) grâce

notamment aux économies réalisées en raison de l'exonération de l'impôt sur les bénéfices jusqu'en 1980 ;
— la part de la production nationale affectée au système
bancaire n'est pas plus élevée en France que dans les autres
pays ; selon l'Association française des banques (rapport
1982) la part du produit net bancaire dans le produit intérieur brut s'établit ainsi :

France	RFA	Pays-Bas	Belgique	Italie	Royaume-Uni
3,7 %	3,6 %	3,4 %	3,9 %	4,1 %	3,8 %

Cela représente néanmoins pour la France 1,6 fois les
achats d'automobiles pour les particuliers ;
— la rentabilité de la banque risque, au cours des prochai-
nes années, de connaître un effet de ciseaux par une augmentation de ses charges et une diminution de ses produits.
L'augmentation des charges proviendrait des coûts engendrés
par la gestion des moyens de paiement (ceux-ci représentent
déjà 43,1 % du total des charges bancaires) et la croissance
du nombre des opérations (+ 15,25 % par an) est supérieure
à celle des dépôts, notamment à vue, qui stagnent en francs
constants. La baisse des taux d'intérêt, déjà engagée, conduit par ailleurs à une diminution de leur produit.
Les banques concluent logiquement de cette argumentation que l'on ne peut pas leur faire supporter une baisse des
taux d'intérêt et vont même jusqu'à réclamer une tarification des services bancaires. Cette démonstration des banques
est certes très étayée ; elle requiert cependant une analyse
critique.
La stagnation de la rentabilité bancaire n'est pas due à
l'augmentation de ses frais généraux, puisque, depuis 1976
au moins, les frais généraux augmentent à un rythme plutôt moindre que celui du produit net bancaire. Grâce aux
importants gains de productivité (également soulignés par
l'AFB), obtenus notamment par la mise en place de l'informatique, l'augmentation future des charges n'est pas du tout
inéluctable. L'insuffisance de résultat provient davantage de
l'importance des provisions qui, sur la même période, ont

augmenté fortement (voir tableau X). De plus, et bien que les banques soient avares d'informations en ce domaine, les provisions semblent davantage dues aux engagements étrangers que nationaux. Ainsi, pour 1985, la BNP a signalé que, sur 3,9 milliards de dotations aux provisions, 2,8 milliards provenaient de risques pays, c'est-à-dire de risques étrangers. La gestion des moyens de paiement n'est que la contrepartie du pouvoir de création monétaire et de la non-rémunération des dépôts. Instituer une tarification et une rémunération des dépôts reviendrait à effectuer un transfert des titulaires de faibles dépôts vers les titulaires de dépôts importants. Dès lors que la monnaie est essentiellement scripturale et le compte presque obligatoire (par exemple pour encaisser un salaire), la banque, nationalisée ou privée, n'a-t-elle pas une mission de service public ?

L'insuffisance des fonds propres des banques est réelle mais, en France, elle n'est pas spécifique à ces établissements. L'ensemble de l'économie française est « sous-capitalisée ». Cela renvoie d'ailleurs au second problème : celui de l'excessif endettement à court terme des entreprises, facteur de fragilité, particulièrement important en France. Deux raisons contribuent à expliquer cette situation. D'une part, le capitalisme français a une base sociale étroite, nettement plus qu'en Grande-Bretagne ou aux Etats-Unis. Il en découle une insuffisance de capitaux propres. D'autre part, le crédit interentreprises y est très important en raison notamment du droit cambiaire (des effets de commerce) et de l'attitude des banques : les traites qui matérialisent ce crédit sont presque automatiquement escomptées.

Ce crédit interentreprises favorise un mécanisme de cascade en cas de défaillance d'une entreprise : la faillite d'une entreprise entraîne souvent celle de ses créanciers.

Le président Mitterrand, lui-même, devait, lors de son discours à Figeac, le 27 septembre 1982, annoncer un « moratoire » pour les entreprises. La loi du 3 janvier 1983 sur le développement des investissements et la protection de l'épargne, votée à la suite du rapport Dautresme, indique la volonté politique qui préside à cette consolidation des ressources des entreprises. Les mesures qui en découlent ont essentiellement pour but d'encourager l'épargne longue : assouplissement des conditions d'émission d'actions à dividende prioritaire sans droit de vote, création de fonds communs de placement à risques, création d'un « second marché » boursier et mesures de protection des épargnants. Sur le plan fiscal, les avantages accordés aux obligations sont non seulement maintenus mais élargis (l'exemption des intérêts passe de 3 000 F à 5 000 F).

Ces mesures ont porté leurs fruits puisque le montant des émissions obligataires est passé de 106,9 milliards en 1981 à 310 milliards en 1985, soit un taux de progression de 30 % par an.

Les banques ont été invitées à participer à cette consolidation des dettes des entreprises. Mais leur action dans ce sens se heurte à un triple obstacle :
— elles ne peuvent augmenter la part de leurs crédits longs sans prendre des risques excessifs de transformation ; ce ne serait d'ailleurs que transférer le problème des entreprises vers les banques (risques de liquidité et de taux) ;
— elles risqueraient, puisqu'elles sont nationalisées, d'être accusées de pratiquer une « nationalisation rampante » en intervenant dans les capitaux propres des entreprises ;
— elles estiment qu'il n'est pas de leur ressort d'intervenir au niveau de « capitaux à risques » avec les dépôts de leurs clients. Les solutions qui se dessinent actuellement consistent, d'une part, à mutualiser les risques (création de la SOFIDAS, société financière d'assurance, ayant pour objet d'assurer les placements à risques) et à créer des écrans (FNG, Fonds national de garantie). De même les CODEVI (comptes d'épargne en valeurs industrielles) ont pour objet d'utiliser le réseau bancaire pour collecter l'épargne, mais débancarisent la distribution d'une partie des crédits (une partie des fonds CODEVI collectés par les banques est distribuée par l'ANVAR).

Mais ces évolutions conduisent à un nouveau risque pour les banques, celui d'une diminution de leurs attributions ou encore d'une désintermédiation : toutes ces mesures favorisent en effet un *circuit court* — épargnants, emprunteurs — qui diminue leur rôle. Le développement des emprunts obligataires, par exemple, transforme la fonction de la banque, qui n'est plus allocataire de crédits mais conseillère en placements. Concrètement, cette mutation diminue les intérêts payés et perçus mais augmente les commissions. Au-delà du strict problème de rentabilité, et si ce mouvement se confirme, on peut anticiper une évolution qualitative de la fonction bancaire qui devra se traduire au niveau du personnel de ces établissements.

Déjà la BNP a créé un nouveau poste : celui de « conseiller en haut de bilan », qui consistera à assister les entreprises dans la recherche de fonds propres ou « quasi-fonds propres » (obligations convertibles, actions à dividendes prioritaires, prêts à long terme) ; mais une partie importante de ces fonds ne sera pas apportée par la banque elle-même, dont le rôle consistera davantage à étudier un dossier et à trouver un financement adapté.

Ces évolutions récentes risquent de modifier profondément la banque qui, limitée par ses contraintes de transformation, va devoir évoluer d'une fonction de collecteur et de redistributeur de fonds (l'intermédiation) vers une fonction de conseiller.

III / L'internationalisation des banques françaises

Les banques françaises constituent le deuxième réseau mondial. Nous percevons tous les jours la réalité de l'internationalisation de l'économie par les produits que nous consommons ; celle des banques nous apparaît moins évidente, elle est pourtant au moins aussi importante. Au 31 décembre 1985, le total des emplois des banques françaises inscrites s'analysait ainsi (en milliards de francs) :

TABLEAU XII. — L'ENGAGEMENT INTERNATIONAL
DES BANQUES FRANÇAISES

Opérations en devises effectuées depuis la métropole	1 400	30 %
Opérations effectuées par les agences étrangères	1 120	24 %
Sous-total international	2 520	54 %
Opérations en francs sur le territoire métropolitain	2 149	46 %
Total	4 669	100 %

Source : [7].

Les opérations effectuées en devises et à l'étranger représentent donc 55 % du total du bilan des banques inscrites françaises. Il faudrait ajouter le montant du bilan de leurs filiales étrangères non comprises dans ces chiffres ; ils ne constituent donc qu'un indicateur, il ne faut pas en conclure, par exemple, que les banques françaises emploient plus de personnel à l'étranger ou à des activités internationales que pour des opérations strictement nationales ; il ne s'agit pas en effet du même type d'activité car, sauf exception, les agences étrangères n'ont que des réseaux de collecte très réduits.

Cette internationalisation des opérations n'est pas propre à tous les systèmes bancaires, mais bien une donnée caractéristique fondamentale de la situation française. Le rapport 1982 de l'Association française de banques la décrit ainsi : « Les banques AFB [1] étaient implantées en 1982 dans 104 pays. A cette date, elles avaient créé 234 succursales, 88 filiales, 114 banques associées et 281 bureaux de représentation. » Encore ces chiffres ne recensent-ils pas les agences d'une filiale dans un même pays. La situation des grandes banques AFB est donc tout à fait exceptionnelle. Elle n'a d'équivalent dans le monde que celle des trois ou quatre premières banques américaines ou britanniques et devance les positions acquises par les banques allemandes ou japonaises. Par son ampleur, le réseau des banques françaises est aujourd'hui le deuxième du monde.

1. Les causes de l'internationalisation française

L'internationalisation du système bancaire correspond à la fois à une logique internationale et à une logique proprement française. L'internationalisation de l'économie s'est accentuée au cours des vingt dernières années, elle devait donc s'accompagner de celle des banques. Les firmes multinationales ont besoin pour leurs opérations d'un banquier qui soit présent dans les mêmes pays qu'elles. Ainsi Rhône-Poulenc est très implanté au Brésil, et son principal banquier, le Crédit lyonnais, a également dans ce pays sa plus forte

---

1. C'est-à-dire l'ensemble des banques inscrites.

implantation étrangère. On pourrait citer d'autres exemples, mais le fait est patent, l'implantation étrangère d'une banque accompagne — et souvent précède — celle de ses clients.

Plus généralement, l'implantation des banques correspond à celle des zones d'influence ou des anciens empires coloniaux : les banques françaises sont très présentes en Afrique, les britanniques dans le Commonwealth, les américaines sur le continent américain et en Europe. L'existence d'un ancien empire colonial joint à la forte internationalisation de l'économie française sont donc deux facteurs essentiels de l'internationalisation du système bancaire français.

Depuis le premier choc pétrolier de 1974 notamment, les déficits — et excédents — de balance des paiements se sont accentués. Il en est résulté une masse considérable [1] de capitaux flottants qu'il a fallu « recycler » c'est-à-dire prêter aux pays déficitaires. Or le dysfonctionnement des institutions internationales et notamment du Fonds monétaire international (FMI) n'a pas permis une gestion centralisée de ce recyclage. Il s'est donc opéré *via* les banques commerciales.

Ce recyclage s'est donc traduit par une *intermédiation bancaire internationale* entre les pays prêteurs et les pays emprunteurs, et ce sont essentiellement les banques commerciales qui remplissent cette fonction. Ainsi, fin 1982, les banques françaises AFB étaient prêteuses de la contre-valeur de 60 milliards de francs en devises et emprunteuses de 161 milliards de francs auprès d'Instituts d'émission étrangers. Il n'y a rarement qu'une seule banque entre le prêteur et l'emprunteur, mais plus généralement une chaîne de banques qui se prêtent les unes aux autres. Ainsi, fin 1985, les banques inscrites françaises étaient emprunteuses de 1 128 milliards de francs en devises et prêteuses de 970 milliards de francs en devises auprès d'intermédiaires financiers (y compris les Instituts d'émission). Par ce mécanisme en chaîne, les emprunts (et prêts) d'Instituts d'émission figurent donc au bilan d'un grand nombre de banques.

Deux atouts donnent aux banques françaises une place importante sur ce marché. Le premier est déterminé par leur taille — quatre banques françaises parmi les dix premières

—, caractéristique indispensable pour offrir une garantie aux prêteurs. Le second est lié à leur statut de banques nationalisées [2] qui leur donne une deuxième garantie, tout à fait spécifique parmi les grandes banques mondiales ; pour les prêteurs (en bonne partie des pays de l'OPEP) cela confère une véritable sûreté sur l'Etat français, c'est-à-dire sur l'ensemble des Français. On imagine facilement le type de pressions que pourrait exercer sur la France un pays exportateur de pétrole pour contraindre une banque nationalisée éprouvant des difficultés à lui rembourser son dépôt. De plus, le statut politique de la France — pays intermédiaire — qui ne peut ni dicter ses conditions comme les Etats-Unis, ni cesser d'honorer ses dettes, est une garantie supplémentaire. Les grandes banques françaises ont ainsi conquis une place privilégiée sur le marché international des capitaux.

2. Les formes de l'internationalisation

Les formes de l'internationalisation sont variées. Pour l'essentiel, on peut distinguer : l'implantation à l'étranger, la fonction d'intermédiation internationale (qui pour l'essentiel s'opère depuis les sièges parisiens), l'activité devises sur le territoire national et la participation à des « clubs » internationaux.

L'implantation à l'étranger peut commencer par un simple bureau de représentation. Celui-ci n'effectue pas d'opération bancaire par lui-même, il est une simple antenne de la maison mère assurant les relations avec les correspondants locaux ; il peut également assister les clients de la banque dans leurs opérations locales. Le bureau de représentation est souvent l'amorce d'une implantation plus complète telle que la création d'une agence ou succursale (les deux termes sont synonymes). Dans ce cas, l'agence peut effectuer

---

2. La BNP, le Crédit lyonnais et la Société générale sont nationalisées depuis 1945 et la Caisse nationale du crédit agricole (CNCA) qui intervient pour le compte de l'ensemble du Crédit agricole sur les marchés internationaux est un établissement public.

TABLEAU XIII. — RÉPARTITION GÉOGRAPHIQUE DE L'IMPLANTATION
DES 500 PREMIÈRES BANQUES MONDIALES EN 1981-1982

Zones géographiques \ Pays d'origine	États-Unis	Grande-Bretagne	Japon	France	Italie	RFA	Canada	Suisse	Hollande	Brésil	Espagne	Belgique	Total
Europe	294	132	87	93	92	69	42	18	20	26	75	25	973
Amérique du Nord + Bahamas	44	60	89	25	31	21	27	27	10	17	19	4	374
Amérique latine	197	41	29	47	31	26	18	17	10	14	39	8	477
Afrique	23	26	5	25	10	15	3	6	2	0	1	8	124
Moyen-Orient	47	46	28	24	13	4	18	13	12	5	6	9	225
Asie	209	56	95	42	19	29	21	12	12	2	3	10	510
Pacifique	25	20	29	7	4	7	7	7	2	2	1	12	112
Total	839	381	362	263	200	171	136	100	68	66	144	65	2 795

Source : « Who is where in world banking » - 1981-1982. Reproduit dans : *Le Champ et l'environnement de l'activité internationale,* commissariat général du Plan, groupe « Quels intermédiaires financiers pour demain ? ».

toutes les opérations bancaires, au nom de la maison mère, à condition de respecter la législation locale. La plupart des banques étrangères implantées en France le sont sous forme d'agences (Morgan, Chase...).

L'implantation peut également prendre la forme d'une filiale qui est alors dotée d'une personnalité juridique propre (c'est le cas en France de Neuflize, Schlumberger, Mallet qui a ainsi échappé à la nationalisation). Le choix entre la forme agence et la forme filiale résulte souvent de la législation locale qui peut interdire l'existence d'agences de banques étrangères (Canada) ou inversement interdire la forme filiale (pays de l'Est). Très souvent (Brésil, Grèce, Mexique, Venezuela), l'implantation d'une banque étrangère oblige à la forme filiale et, de surcroît, exige que la majorité du capital soit détenue par un ressortissant national.

Il faut signaler également l'existence de « zones franches » (Luxembourg, Singapour, Hong Kong) où les banques peuvent opérer sans contraintes, notamment sur les marchés internationaux ; cela permet l'implantation de banques *off shore* (n'intervenant pas sur le marché national mais uniquement avec des non-résidents) et la création de véritables places *off shore* (Singapour, Panama, îles Bahamas et Caïmans) qui sont à la fois des paradis fiscaux et des lieux de libre circulation des capitaux internationaux. Toutes les grandes banques françaises y ont des agences et/ou des filiales.

Ces places permettent une circulation des capitaux qui occulte complètement l'identité des prêteurs et emprunteurs finaux ; aucune administration fiscale, aucune justice ne peuvent y exercer un droit de suite. Compte tenu des avantages qu'elles offrent, elles se sont multipliées au cours des dernières années. Il en existe au moins une dans chaque grande région économique. New York même s'est dotée d'une zone *off shore* depuis 1981.

Quelle que soit leur nature, ces implantations internationales ont pour objet soit d'effectuer une activité bancaire traditionnelle auprès de la clientèle locale, soit d'apporter des services internationaux à la clientèle métropolitaine, soit encore (notamment sur les places *off shore*) de participer à l'intermédiation financière internationale. Cette dernière activité a pour clientèle — prêteuse ou emprunteuse — des États, des banques centrales, les plus grandes entreprises et des banques. Compte tenu de l'importance des montants, celles-ci effectuent rarement une intermédiation directe entre le prêteur et l'emprunteur mais opèrent davantage par chaînes, ce qui permet de diviser les risques de solvabilité et de liquidité [3].

Les conditions interbancaires sont encore dirigées par la place de Londres ; ainsi le taux de référence — propre à chaque devise — est le Libor *(London InterBank Offered Rate)*. Mais le taux auquel une banque emprunte est fonction de sa réputation internationale ; le classement (ou *rating*) des banques est établi par des firmes américaines privées, notamment Moody's et Standard and Poor, qui affectent une note à chaque établissement de (A à AAA). Les banques françaises opérant sur les marchés internationaux (c'est-à-dire les plus grandes) bénéficient du meilleur classement et peuvent ainsi emprunter aux meilleures conditions et reprêter à d'autres banques avec une marge (appelée *spread*). Mais cela implique pour elle un mode de gestion satisfaisant, susceptible de convenir aux organismes de classement, qui peuvent venir dans les établissements opérer des contrôles et demander les justifications qu'ils estiment nécessaires. Les observations de ces organismes sont au moins aussi craintes que celles des institutions de tutelle et notamment celles de la Commission bancaire. Une partie des devises ainsi collectées est également utilisée auprès de la clientèle métropolitaine sous forme d'avances en devises.

L'internationalisation bancaire a conduit à la constitution de *clubs bancaires internationaux* ayant pour but de faciliter la coopération technique entre différentes banques de nationalités différentes. La BNP, la Barclays, la Dresdner Bank (RFA) et l'Algemene Bank (Pays-Bas) participent ainsi

---

3. En effet, la structure des capitaux internationaux est généralement identique à celle des monnaies locales : les dépôts sont à vue ou à court terme et les emprunts à moyen ou long terme. La chaîne des banques permet une transformation progressive et donc une mutualisation des risques inhérents.

à ABECOR (Associated Banks of Europe). Les autres grandes banques françaises adhèrent à des clubs semblables : EBIC (Société générale), Europartenaires (Crédit lyonnais), INTERALPHA (Crédit commercial de France).

3. Les conséquences de l'internationalisation

Les banques françaises affirment (en n'avançant aucun chiffre) que seule cette activité internationale permet le maintien de leur bénéfice. Cela était probablement exact jusqu'aux années 1980-1981. Depuis, les « faillites » en chaîne de pays tels que l'Argentine, le Chili, la Corée du Sud, la Pologne, etc., conduisent à nuancer cet optimisme. Plus que jamais, les résultats des banques sont impossibles à apprécier ; à quel pourcentage doit-on estimer la perte sur les engagements au Brésil ? Personne n'est capable de répondre à cette question ; l'opinion selon laquelle les banques américaines auraient, pour 1981 et 1982, largement sousestimé ces risques en comptabilité, pour ne pas affoler leurs actionnaires et les milieux financiers, est largement répandue.

En France, les provisions, largement dues à l'activité internationale, représentent deux fois les bénéfices nets de 1985. La hausse des taux depuis juillet 1980 (date où le Mexique a été déclaré « en faillite »), et accentuée à partir de 1981, a permis aux banques françaises de constituer d'importantes marges (prélevées sur l'économie nationale) qui ont servi à couvrir les risques pris à l'étranger à la fin des années soixante-dix dans le cadre du redéploiement sous l'égide du « meilleur économiste de France »... Raymond Barre. Ainsi les banques françaises ont, sous un gouvernement de gauche, fait payer à l'économie française leurs erreurs (ou générosité à l'égard du tiers monde ?) commises sous l'égide d'un ministre libéral. Au-delà de ce problème comptable, c'est la solidité et la crédibilité de l'ensemble du système bancaire mondial qui sont en jeu. Les milieux financiers internationaux sont face à des problèmes géopolitiques : doivent-ils adopter une attitude dure à l'égard des pays débiteurs (au risque de tuer la « vache à lait » qu'ils furent pendant de

longues années) ou, au contraire, faire preuve de modéra-
tion (au risque de voir leurs engagements et leurs risques
augmenter). Il n'est plus aujourd'hui (si cela fut un jour) de
problèmes financiers qui ne soient politiques et inversement.

Cinquième partie

Quelles banques demain ?

L'analyse historique nous a permis de distinguer trois facteurs essentiels de l'évolution du système bancaire : les moyens de paiement, l'activité économique et surtout commerciale, et les rapports qu'entretient l'institution bancaire avec l'Etat. De même l'avenir des banques [1] doit s'analyser à partir de ces déterminants. Le développement de la télématique et de la carte à mémoire, généralement désignés sous le vocable de monnaie électronique, peut constituer pour les banques une révolution semblable à l'invention de la lettre de change au XIVe siècle ou de la monnaie fiduciaire au XIXe siècle. Elles se préparent déjà à en tirer parti afin d'accroître leur rôle économique, mais rien ne garantit que la monnaie électronique ne se traduira pas, au contraire, par une « débancarisation » des opérations de paiements.

Les relations avec l'Etat semblent évoluer au gré des changements politiques : après les nationalisations de 1982, la tendance actuelle est au libéralisme et à la privatisation. Mais la réalité des relations banques-Etat est plus complexe et davantage faite de compromis régulièrement remis en cause. La nouvelle loi bancaire apparaît d'ailleurs comme l'un des compromis s'efforçant à la fois de respecter l'identité de chaque réseau tout en favorisant les décloisonnements (politique dite de banalisation) pour éviter la double mosaïque des institutions et des procédures.

---

1. Nous nous limitons ici au cas français, mais le problème se pose dans des termes semblables à l'étranger.

I / Les mutations technologiques :
vers la monnaie électronique

Depuis l'invention du chèque au XIXᵉ siècle, la banque n'a pas connu, contrairement à l'ensemble des autres activités économiques, d'évolution technique significative. L'informatique n'a véritablement commencé à pénétrer dans les banques qu'à partir des années soixante-dix. Au lieu d'être tenus manuellement ou sur des machines électromécaniques, les comptes de la clientèle et les opérations comptables correspondantes ont été informatisés. Mais ces changements n'ont affecté que l'intérieur des banques ; les mutations technologiques en cours auront certainement des conséquences plus profondes puisqu'elles s'étendront aux relations de la banque avec sa clientèle.

1. Les nouvelles techniques

Pour l'instant, les changements apparaissent anodins aux yeux des clients de banque ; il s'agit essentiellement de l'existence de cartes (par exemple la carte bleue) et de la possibilité de retirer des espèces dans des distributeurs automatiques de billets (DAB) ou des guichets automatiques de banques (GAB). La progression du nombre de ces automates est impressionnante puisqu'ils sont passés de 2 000 en 1979 à 9 000 fin 1984.

La carte actuelle ne fait que préfigurer celle de demain. Sa bande magnétique ne comporte en effet que les informations nécessaires à identifier son détenteur ainsi que la date et le montant du dernier retrait d'espèces dans un DAB. Demain cette carte pourra prendre des formes plus élaborées. Il pourra s'agir d'une carte « intelligente », c'est-à-dire dotée d'un microprocesseur (la carte à microprocesseur a été inventée en 1974 par un ingénieur français, M. Moreno, qui fonda la société Innovatron) lui permettant d'identifier elle-même l'acheteur (par son code secret) et d'enregistrer des opérations. Une telle carte pourrait être régulièrement « chargée » en monnaie auprès de la banque, puis progressivement « déchargée » lors de son utilisation. Elle deviendrait ainsi un substitut de la monnaie fiduciaire (billets) et donc un véritable « portefeuille électronique ».

Plus encore que de la carte, les principaux changements sont à attendre du matériel apte à l'utiliser. L'actuel DAB se contente de lire la carte, de vérifier le code composé par l'utilisateur et de s'assurer que celui-ci ne figure pas sur une liste noire ; il enregistre le retrait d'espèces qui est ultérieurement traité sur ordinateur pour « mouvementer » les comptes concernés.

Le GAB est déjà plus élaboré. Il est constamment connecté aux ordinateurs de la banque (en termes informatiques, on dit qu'il est « en ligne » ou *on line*) ; il permet donc un nombre d'opérations plus important : consultation du solde du compte, ordre de virement, retrait d'espèces déterminé par le solde du compte... La plupart des opérations courantes que l'on effectue dans un guichet ordinaire peuvent dorénavant être réalisées à partir d'un GAB.

L'informatique s'installe également dans les commerces où les caisses enregistreuses classiques deviennent elles aussi des terminaux d'ordinateurs (terminaux point de vente ou TPV) capables de lire les cartes, l'authentification du paiement se faisant là aussi par la frappe du code secret par l'utilisateur.

Plus novateur encore, la banque s'installe directement chez l'utilisateur. Ainsi les entreprises peuvent disposer de terminaux leur assurant un contact permanent avec leur compte et sur lesquels elles peuvent effectuer des opérations (virement, ordre de Bourse...) ou des interrogations (analyse de leur compte ou renseignements divers). La « banque à domicile » (ou *home banking* pour faire savant) n'est pas l'apanage des entreprises, les particuliers peuvent aussi y avoir recours (moyennant redevance) grâce au Minitel. La monnaie électronique ou plutôt la circulation électronique de la monnaie [1] est d'ores et déjà prête.

2. Les conséquences

La première conséquence d'une banque... sans banquier se situe bien évidemment au niveau du personnel. Les banques emploient actuellement 350 000 salariés et déjà les effets de l'informatique se sont fait sentir puisque les effectifs sont quasi stables depuis 1978, alors que dans le même temps le volume du travail, mesuré par le nombre d'écritures, augmentait de 30 %. Jusqu'à présent donc, le développement de l'activité a compensé les gains de productivité et si les effectifs d'employés n'ont pas augmenté, du moins n'ont-ils que faiblement diminué.

Les perspectives ouvertes par les mutations technologiques ne posent donc plus le problème du maintien des effectifs, mais celui de leur diminution. Le rapport Nora-Minc [2] prévoyait une diminution de 30 % des effectifs bancaires pour 1990. Le journal *Le Monde* est allé jusqu'à titrer : « La banque, sidérurgie de demain ? » Sur le plan social, la comparaison risque de s'avérer exacte. Pour l'instant, les banques ne semblent pas avoir arrêté de stratégie précise face à ce problème, si ce n'est celle de cesser les embauches. Certaines, comme le Crédit lyonnais, ont déjà fait baisser leurs effectifs. Le durcissement des rapports sociaux en leur sein (grève

---

1. Il n'y a en effet pas de nouvelle monnaie, celle-ci reste une monnaie « en compte ». Citons sur ce point le rapport du Conseil économique et social, *La Monnaie électronique*, édité par le *Journal officiel* en 1982 : « On peut définir la monnaie électronique comme l'ensemble des techniques informatiques, magnétiques, électroniques et télématiques permettant l'échange des fonds sans support papier. »

2. NORA S., MINC A., *L'Informatisation de la société*, Seuil, collection « Points », Paris, 1979.

à la Société générale en 1982) traduit, dans une certaine mesure, l'attitude des directions qui estiment qu'il ne faut pas concéder actuellement de nouveaux avantages, surtout au niveau des statuts. Inversement les salariés veulent, plus que jamais, préserver, voire conforter, ces mêmes statuts[3].

Mais, s'il est probable que, d'une façon ou d'une autre, les salariés feront les frais de ces gains de productivité, qui, inversement, en récoltera les fruits ? L'abaissement des coûts de l'intermédiation bancaire et de la gestion des moyens de paiement peut en effet profiter soit aux banques — augmentation de leurs bénéfices —, soit aux bénéficiaires des crédits (essentiellement les entreprises) par une diminution des taux d'intérêt, soit aux détenteurs de dépôts (essentiellement des particuliers) par un intérêt plus élevé en rémunération de leur épargne. Mais le changement technologique est perçu par les banquiers comme une occasion historique, qui n'est pas près de se représenter, de réallocation du coût de la gestion des moyens de paiement et de l'intermédiation bancaire.

Les banques, ou plutôt les directions des banques, entendent en effet profiter de l'occasion pour augmenter leurs bénéfices. Elles mettent en avant l'insuffisance de leurs capitaux propres, les risques qu'elles prennent — tant en métropole qu'à l'étranger — dans le contexte de crise internationale en accordant des crédits et les nécessaires « efforts » en provisions (troisième partie, chapitre I) qu'elles doivent consentir, le développement des chèques et autres moyens de paiement qu'elles gèrent « gratuitement », la concurrence des réseaux privilégiés (caisse d'épargne...), pour revendiquer une augmentation de leur marge.

Vers une tarification des services bancaires ?

Plutôt que de proposer à leurs autorités de tutelle des négociations sur l'allocation des gains de productivité, elles réclament aujourd'hui une tarification des services rendus, c'est-à-dire, concrètement, la possibilité de faire payer les

---

3. Sur les effets de l'informatisation, voir PASTRÉ O., *L'Informatisation et l'emploi*, La Découverte, collection « Repères », Paris, 1984.

chèques, les retraits d'espèces, bref toutes les opérations que peut effectuer la clientèle. Pour la première fois dans l'histoire française, l'usage de la monnaie deviendrait ainsi payant.

Les banques font valoir qu'elles assurent des services gratuits, ce qui est parfaitement inexact puisqu'en contrepartie du droit de tirage des chèques le client leur laisse un dépôt non rémunéré. En moyenne quotidienne, le compte à vue des particuliers s'établissait en 1985 à 13 000 F dans une des plus grandes banques ; au taux de 4,5 % (taux de rémunération des comptes sur livret) cela équivaut à un intérêt de 585 F soit, sur la base d'un coût de chèque à 3 F, à un droit de tirage annuel de 195 chèques supérieur au nombre moyen de chèques effectivement tirés (120).

Au-delà du coût pour elles, les banques invoquent le gâchis économique qu'engendre la multiplication des petits chèques et la nécessité de diminuer leurs coûts de fonctionnement pour pouvoir baisser le coût du crédit. Ces arguments sont réels et sérieux, cependant cela ne profitera qu'aux banques de collecte et non aux banques de crédit (SOFINCO, La Hénin...), celles-ci seront alors incitées à développer leur propre réseau de collecte.

La nouvelle course aux guichets qui risque de s'ensuivre de la part de l'ensemble des banques (les dépôts deviendront doublement rentables) risque de représenter un gâchis économique supérieur à celui du coût des petits chèques.

Plusieurs types de facturations sont envisagés ; elles lient en général le montant des dépôts au droit d'utiliser les services bancaires. Ainsi un montant de dépôt minimal — moyen ou permanent — pourrait donner droit à un nombre déterminé de chèques gratuits, les suivants devenant payants. Une autre solution consisterait, comme aux Etats-Unis, à déterminer le type de services auxquels ont accès les clients selon l'importance de leurs dépôts ; les petits déposants seraient « interdits » aux guichets et devraient se contenter des DAB ou GAB, seuls les déposants importants pourraient effectuer des opérations *d'entro*, comme on disait dans l'Italie du Moyen Age. Les débats sur le droit au compte bancaire qui ont eu lieu pendant le vote de la loi bancaire sont un début d'illustration de l'attitude des banques ; contrairement à la loi, elles ne voulaient pas être tenues d'ouvrir un compte à n'importe quel client (la loi prévoit le droit au compte bancaire et non celui au chéquier qui serait toujours refusé aux utilisateurs ayant émis des chèques sans provision). Certains parlementaires ont défendu que ce droit au compte ne devait concerner que les CCP, ce qui aurait accentué leur fonction de « banque des pauvres », les banques se réservant la clientèle plus nantie.

Les associations de consommateurs dénoncent l'entente des banques ; en effet celles-ci mettent au point des tarifications presque identiques et devant entrer en vigueur à la même date. Le plus curieux est que les banques aient annoncé cette tarification juste après l'arrivée au pouvoir d'un gouvernement libéral.

On voit au travers du problème de la tarification que les conséquences des nouvelles technologies ne seront pas seulement quantitatives, mais aussi et surtout qualitatives. Tout d'abord, la monnaie électronique va inéluctablement révolutionner le métier de banquier ; la fonction de collecte est en train de passer d'un type de travail artisanal — le guichet — à un fonctionnement industriel — les DAB et GAB —.

L'évolution ressemblera probablement à celle de la distribution, passée du petit commerce de détail aux grandes surfaces. Au niveau du personnel d'abord, le guichetier qui assure des fonctions diversifiées : contact et conseil avec la clientèle, enregistrement des opérations... cédera le pas à du personnel très spécialisé soit en informatique (saisie, traitement), soit en finances (conseillers « haut de bilan » pour les entreprises, conseillers en placements pour les particuliers). L'uniformisation des cartes (carte bleue, par exemple) risque de favoriser les banques à petits réseaux, dont les clients pourront accéder à l'ensemble des DAB et GAB sans qu'elles aient à supporter le coût d'un réseau important, au détriment des banques à large réseau. A terme donc, les structures bancaires pourraient être largement modifiées. La fonction de collecte, apanage des grandes banques de dépôts, pourrait, par son automatisation, modifier les poids respectifs des banques mais aussi modifier les relations banques-commerce de détail (par lequel transite l'essentiel des moyens de règlement).

Deux voies semblent ouvertes. Ou bien le commerce crée ses propres cartes (carte « Pass » de Carrefour...), gère lui-même la collecte des fonds et apporte ceux-ci tout prêts aux banques ; dès lors une bonne partie de la fonction actuellement assurée par les banques est transférée aux entreprises commerciales qui trouvent là une nouvelle activité leur permettant non seulement de fidéliser leur clientèle, mais également d'être à même de mieux négocier avec les banques les taux de rémunération de leurs dépôts par exemple, ou, inversement, le coût de leurs crédits. Tel est le cas américain où la firme commerciale Sears and Roebuck gère 25 millions de cartes de paiement, ce qui lui a permis de créer ses propres banques et de devenir l'un des plus puissants groupes financiers américains. Ou bien, au contraire, l'interbancarité des cartes, définie par un accord du 31 juillet 1984 (qui unifie notamment les réseaux cartes bleues et cartes vertes), permet aux banques d'imposer leurs conditions aux commerçants (facturation des terminaux points de vente placés chez eux). Mais cet accord ne règle pas tout et si tarification des chèques il devait y avoir, la clientèle risque de se retourner vers les cartes des distributeurs. Tout n'est donc pas joué, et les banques pourront difficilement gagner sur les deux tableaux : le chèque (facturé aux usagers) et la carte (facturée à la fois aux usagers et aux commerçants). Trop gourmandes, les banques risquent de tout perdre, et si la carte représente l'avenir elles devraient peut-être rendre celle-ci gratuite quitte à tarifer légèrement le chèque.

II / Quels rapports banques-Etat ?

La banque française, nationalisée ou privée, a toujours été proche de l'Etat. A défaut d'instituer une véritable prééminence de l'Etat sur les banques, la nationalisation de 1982 a évité que la situation inverse ne se produise. Les privatisations prévues par le gouvernement issu des élections de mars 1986 ne remettront probablement en cause qu'une partie des nationalisations de 1982 et agira avec prudence sur celles de 1945. La loi bancaire de 1984 fixe un cadre relativement nouveau dont toutes les conséquences ne sont pas encore apparues.

1. Les différentes fonctions de l'Etat vis-à-vis des banques

Vis-à-vis des banques, l'Etat cumule les fonctions de responsable de l'économie nationale, de client, d'actionnaire lorsqu'elles sont nationalisées, de percepteur d'impôts et de tuteur. Chacune des parties — banques, Etat — joue sur ces différentes touches pour affirmer son autonomie ou son autorité.

L'Etat responsable de l'économie nationale

L'économique est devenu le domaine majeur du politique. La nationalisation des banques s'intégrait d'ailleurs pleinement dans cette conception ; elle avait pour objectif clairement affiché de renforcer le pouvoir économique de l'appareil d'Etat. La « maîtrise du crédit » semblait être l'instrument majeur d'une autre politique économique et de la mise en œuvre du Plan. Aujourd'hui, cette « maîtrise du crédit » doit apparaître bien décevante aux responsables politiques.

Première difficulté rencontrée : les contradictions qui existent entre la politique macroéconomique (lutte contre l'inflation passant par un encadrement strict des crédits) et la politique industrielle qui nécessite des investissements importants. Face aux demandes de soutien à telle ou telle branche ou entreprise, les banques ont en effet beau jeu d'évoquer les rigueurs de l'encadrement.

La deuxième difficulté provient des contradictions entre les objectifs gouvernementaux et ceux des directions de banques. L'intérêt particulier d'une banque, que sa direction est censée incarner, ne correspond pas nécessairement à l'intérêt général que le gouvernement est censé défendre.

Sur un autre terrain, l'accord sur l'interbancarité des cartes du 31 juillet 1984 a été obtenu notamment grâce à l'insistance du gouvernement. Il s'agissait en effet de promouvoir la carte à microprocesseur (dite carte à « puces ») et son appareillage d'utilisation pour lesquels les grandes entreprises (CGE) ou administrations (DGT) françaises disposent d'une importante avance technologique sur les concurrents étrangers. Mais cette avance ne peut permettre la conquête des marchés étrangers que si le marché intérieur est préalablement occupé.

L'Etat client des banques

Dans la période actuelle de déficit budgétaire, l'Etat est le plus important client des banques. Celles-ci lui apportent leur crédit par la souscription de bons du Trésor et, même si leurs taux ont été très rémunérateurs ces dernières années, la rentabilité de ce type d'opération n'est pas toujours le facteur déterminant pour les banques. Il s'agit aussi et surtout d'apporter le soutien à un client particulièrement important et puissant ; ce n'est pas là un phénomène nouveau : les banques ont toujours souscrit un volume important de bons du Trésor.

Elles apportent également leur concours pour le placement à l'étranger des emprunts de l'Etat, émis en devises étrangères ou en eurofrancs. En période de crise, l'Etat-client doit, lui aussi, respecter ses banquiers. Les relations entre les banques et le ministère de l'Economie (à la fois tuteur et client) s'en ressentent nécessairement.

L'Etat actionnaire

Malgré les privatisations annoncées, l'Etat reste actionnaire, si ce n'est en nombre du moins en poids, de l'essentiel des banques. En fait, le pouvoir que ce statut lui confère est à la fois le plus faible et le plus fort. Le plus faible car il ne lui donne aucun droit direct de gestion. Le plus fort car il lui permet de désigner les dirigeants des banques. C'est donc essentiellement un pouvoir au second degré qui offre également la possibilité d'obtenir, voire d'exiger, des dividendes, mais ceux-ci sont déterminés par le bénéfice donc par la comptabilité, laquelle dépend des directions des banques... Dans la situation actuelle, en raison de l'insolvabilité de certains engagements étrangers, une petite différence d'appréciation des provisions modifie très sensiblement le bénéfice comptable constaté. Plus que jamais, le résultat comptable devient une décision ; c'est un chiffre à l'intérieur d'une fourchette très large.

L'Etat percepteur

Si l'Etat actionnaire estime que son entreprise ne lui paie pas assez de dividendes, il peut jouer sur une autre touche, celle de la fiscalité. Ce n'est pas nouveau et les gouvernements précédents ont également utilisé cette arme quasi discrétionnaire qui consiste à créer des impôts ou taxes spécifiques aux banques. Selon les années, elles portent le nom de prélèvement ou de contribution exceptionnelle. De même la tarification des chèques, dont certaines simulations estiment le produit à 15 milliards de francs par an, ne doit pas laisser le gouvernement indifférent : par le biais de la fiscalité il peut, en effet, espérer s'approprier une part non négligeable de ce gâteau.

L'Etat tuteur

Comme tous les autres pays, l'Etat français est également tuteur des banques, ce qui lui confère des droits généraux sur l'ensemble des banques, par les moyens analysés plus haut (réserves obligatoires, encadrement, règlements) et des droits spécifiques — de police — vis-à-vis de chacune des banques.

La nouvelle loi bancaire rénove le cadre de ce pouvoir de tutelle.

2. La privatisation

Après que l'ordonnance a essuyé le refus de la signature du président de la République, la loi sur la privatisation a été votée par le Parlement le 31 juillet 1986. Elle prévoit essentiellement le contrôle des opérations par une commission de privatisation (elle-même conseillée par une banque) et les conditions générales de placement des titres (avantages aux salariés de l'entreprise et aux petits porteurs, limitation à 20 % des acquisitions étrangères). Cette loi laisse cependant le champ libre au gouvernement sur le calendrier des opérations et l'étendue des privatisations. Mais, surtout pour ce qui concerne les banques, la privatisation se heurte à trois limites.

La première est d'origine politique : la nationalisation de 1982 portait certes sur 35 banques, mais celles-ci étaient de taille modeste au regard des trois grandes (BNP, Crédit lyonnais, Société générale) nationalisées, elles, en 1945. Politiquement, il n'est pas évident que le gouvernement revienne sur les nationalisations de 1945 ; or, les « trois vieilles » représentent les deux tiers (en terme de total de bilan) de l'ensemble des 38 banques nationalisées.

La deuxième limite tient de la forte implication

internationale des banques françaises et surtout des trois plus grandes (les « trois vieilles ») ; or, l'importance de ce rôle est due certes à la taille de ces établissements, mais aussi et surtout à la garantie que leur confère, de fait, le statut de banque nationalisée. Les privatiser conduirait inéluctablement à une réduction de leur activité internationale et certainement à affronter des difficultés importantes.

La troisième limite provient de l'étroitesse du marché financier français : est-il capable d'absorber tous les titres offerts dans le cadre des privatisations ? La réponse est incertaine et malgré l'effort d'encouragement à un capitalisme populaire nettement inscrit dans la loi (avantages concédés aux petits porteurs et aux salariés) les milieux financiers et boursiers ne cachent pas leurs inquiétudes. Un empressement trop grand risquerait de se retourner contre la Bourse elle-même (effondrement des cours) ou contre les banques (qui verraient leurs dépôts d'épargne se transférer vers les actions mises sur le marché).

En définitive, la privatisation, et surtout celle des banques, ne peut se faire qu'à un rythme modéré. Au niveau des banques, seule celle du CCF, de quelques petites banques et de Paribas (qui n'est pas véritablement une banque) est prévue au début de 1987. Quelques autres privatisations d'établissements moyens ou modestes sont envisageables ; mais pour les plus grandes d'entre elles, seule une privatisation partielle (d'une minorité du capital) nous semble techniquement possible.

3. La nouvelle loi bancaire

Prévue dans le programme du parti socialiste, annoncée en 1981, déclarée imminente lors des nationalisations en 1982, la loi bancaire n'a finalement été votée qu'en 1984. Elle s'articule essentiellement autour de trois axes : une nouvelle définition de la profession bancaire, une modernisation des institutions (Conseil national du crédit, Associations professionnelles, Commission bancaire) et une redéfinition des rapports banques-utilisateurs.

Classique en apparence, la définition donnée dans l'article premier de la loi est pourtant très novatrice et fondamentale par sa portée :

« Les établissements de crédit sont des personnes morales qui effectuent à titre de profession habituelle des opérations de banque. »

« Les opérations de banque comprennent la réception des fonds du public, les opérations de crédit ainsi que la mise à la disposition de la clientèle ou la gestion des moyens de paiement. »

Cette définition est originale à deux égards. D'une part, elle définit les établissements de crédit — et non les banques — et, d'autre part, elle détermine les fonctions bancaires en y incluant la gestion des moyens de paiement ; elle est donc très extensive. Une telle définition n'est pas neutre : elle pose d'emblée — dès le premier article — deux axes fondamentaux de la loi : l'universalité et le monopole.

L'universalité : elle consiste à mettre toutes les banques sous le même régime juridique et à abolir les anciennes distinctions, déjà atténuées par la loi de 1967, notamment celles entre banques de dépôts et banques d'affaires. Désormais chaque banque — ou plutôt chaque établissement de crédit — pourra tout faire : il n'y a plus de réseaux privilégiés. En réalité, cela n'interdit pas à chaque établissement de crédit de se spécialiser dans tel ou tel type d'opérations puisque nous avons vu qu'il existe différents métiers de banquier. Désormais donc, la concurrence [1] et la compétence seront les seuls critères d'organisation de la division du travail, autrement dit de l'organisation du système bancaire français. On parle donc davantage de *banalisation* que d'universalité puisque, si chacun peut tout faire, il est vraisemblable que les spécialisations — comme dans le système britannique — subsisteront, voire s'accentueront.

---

1. Le mot concurrence revient très souvent dans l'exposé des motifs de la loi, ce qui indique clairement que le mode de régulation choisi n'est plus le droit ou le règlement, mais le marché.

Le monopole : si chaque établissement de crédit peut tout faire, seuls ceux qui auront ce statut pourront effectuer des opérations de banque. Cette loi est donc une loi de protection du système ; il s'agit manifestement d'éviter le développement des « quasi-banques » à l'américaine. L'inclusion des moyens de paiement dans les opérations de banque protège notamment des tentations que pourraient avoir les chaînes de distribution avec le développement de la monnaie électronique.

La modernisation des institutions

Les institutions de tutelle : Conseil national du crédit, Commission de contrôle des banques, associations professionnelles, sont redéfinies et « modernisées ».

• *Le Conseil national du crédit* (CNC) n'est pas, lui, fondamentalement changé. Il comprend dorénavant 51 membres plus un secrétaire général et est présidé par le ministre de l'Economie et des Finances. L'article 25 de la loi détermine son règlement intérieur et en augmente l'autorité : deux fois par an au moins, il se réunit sous la présidence effective du ministre et ses membres ne peuvent s'y faire représenter. Mais son rôle reste consultatif ; une partie importante des débats à l'Assemblée portait sur cette fonction, les parlementaires de l'opposition voulant modifier profondément le texte en faisant préciser que le CNC *devait être* consulté par le ministère de l'Economie. « En creux », donc, on voit que l'autorité de tutelle principale des banques restera le ministère de l'Economie et des Finances. Le CNC est complété par deux comités spécialisés : celui de la réglementation bancaire et celui des établissements de crédit, ce dernier assurant une partie de la fonction de surveillance à côté de la Commission bancaire.

• *La Commission bancaire* se substitue à l'ancienne Commission de contrôle des banques dont elle conserve les attributions, mais élargit son champ à l'ensemble des établissements de crédit et non plus aux seules banques inscrites. S'y ajoutent les banques à statut légal spécial, les établissements financiers et les institutions financières non bancaires.

• *Les Associations professionnelles.* Une structure de type confédéral est créée avec l'Association française des établissements de crédit (AFEC) qui confédère l'Association française de banques (AFB), l'Association professionnelle des établissements financiers (APEF) et des « organes centraux affiliés » permettant aux secteurs mutualistes et coopératifs de conserver leur autonomie et leur distance puisqu'ils seront représentés par leurs propres instances sans obligation d'adhérer à l'AFB ou à l'APEF.

La redéfinition des rapports banques-utilisateurs

Il s'agit là d'un aspect important dont on notera quelques aspects essentiels :

Article 56 : « Tout concours à durée indéterminée, autre qu'occasionnel, [...] ne peut être réduit ou interrompu que sur notification écrite et à l'expiration d'un délai de préavis fixé lors de l'octroi du concours. »

Les établissements de crédit perdent donc, légalement, leur droit discrétionnaire de retirer leur crédit ; il s'agit là d'une importante concession aux entreprises, mais qui ne fait que consacrer une jurisprudence bien établie concernant les entreprises en difficultés.

Par ailleurs, est affirmé le droit au compte, la Banque de France devant désigner d'office une banque lorsqu'une personne se voit refuser l'ouverture d'un compte.

En définitive, cette loi ne modifie que peu de choses et n'est pas la grande loi bancaire qui était crainte ou espérée... mais attendue. Politiquement, elle consacre la suprématie du ministère de l'Economie et des Finances sur les banques et la monnaie. Le ministère du Plan et celui de l'Industrie n'apparaissent à aucun endroit ; la conception d'ensemble correspond donc à une approche monétaire orthodoxe. La faiblesse du franc et, corollairement, l'autorité du ministère de l'Economie ont dû jouer à cet égard un rôle décisif.

Techniquement les changements sont peu importants. En

particulier, si une approche globale des besoins des entreprises est souhaitée et affirmée dans l'exposé des motifs, rien n'incitera les banques à la mettre en œuvre ; il eût fallu pour cela supprimer le système des sûretés qui fondent la pratique bancaire française et notamment la solidarité des signataires des effets de commerce. Les banquiers français ont donc remporté là une belle victoire, y compris sur le ministre de l'Economie (lors du colloque sur les nationalisations des 12 et 13 décembre 1982, Jacques Delors avait fustigé « les vieilles habitudes des banquiers et notamment celle du papier à trois signatures »), qui leur permettra de continuer d'aborder les problèmes de crédit aux entreprises selon une routine administrative et non pas selon une logique économique à l'instar de leurs homologues allemands ou britanniques. La distribution du crédit en France, et donc la création monétaire et l'allocation des ressources risquent de se poursuivre sans une véritable approche des besoins, des pratiques et des perspectives des entreprises. Les pratiques administratives et juridiques continueront de primer l'analyse industrielle, commerciale et économique.

III / Quel système bancaire ?

La loi bancaire ne règle que le cadre institutionnel des banques et autres établissements de crédit. Le système bancaire français de demain, c'est-à-dire la façon dont s'organiseront les relations banques-Etat-utilisateurs, dépend davantage de l'évolution économique et sociale.

1. Vers une désintermédiation ?

Si, depuis la fin de la dernière guerre, le mouvement de bancarisation a été important, certains indices laissent penser que ce mouvement risque de s'inverser dans un proche avenir.

La fonction d'intermédiation des banques est en effet susceptible de diminuer au profit du développement de *circuits courts* où les détenteurs de monnaie la confient directement aux emprunteurs, sans transiter par un établissement de crédit. Tel est le cas du marché financier, c'est-à-dire des échanges d'actions et d'obligations [1]. Si le marché primaire des actions (émission d'actions nouvelles) est peu important, celui des obligations connaît actuellement un développement considérable ; il est en effet passé de 150 milliards en 1982

---

1. Durand M., *La Bourse*, La Découverte, collection « Repères », Paris, 1987.

à 332 milliards en 1986. Or, cela diminue d'autant l'activité bancaire puisque l'épargne ainsi placée provient essentiellement de dépôts bancaires et les obligations diminuent d'autant les besoins en crédit des entreprises.

D'autres mesures ou techniques pourront également favoriser les circuits courts, comme l'institution de *fonds salariaux* permettant aux salariés de déposer une partie de leur épargne auprès de l'entreprise qui les emploie ; là encore, le circuit est raccourci et les banques n'interviennent plus. De même l'institution des comptes pour le développement industriel (CODEVI) va également conduire à une diminution partielle de leur rôle. En effet, si elles sont habilitées (concurremment aux autres réseaux, notamment aux caisses d'épargne, ce qui montre que la « banalisation » entre déjà dans les faits) à collecter ces dépôts — il fallait bien utiliser les réseaux de collecte existants —, elles n'ont pas la maîtrise totale de la distribution des crédits correspondants (une partie des fonds doit être placée à la Caisse des dépôts et consignations).

La création de ces CODEVI est d'ailleurs riche d'enseignements sur les rapports de force au sein du gouvernement de gauche ; il s'agit d'un substitut à la Banque nationale d'investissements (BNI) prônée par le programme du parti socialiste. L'abandon de ce projet correspond vraisemblablement à une victoire du ministère de l'Economie sur ceux du Plan et de l'Industrie qui voulaient par cette institution se doter d'une autonomie financière et d'un moyen d'action propre ; mais il s'agit aussi d'un compromis ou d'un jugement de Salomon vis-à-vis des banques : elles conservent la collecte mais perdent en partie la distribution des crédits sur ces fonds. Sur le plan plus général de la collecte, le pseudo-monopole conféré aux établissements de crédit sur la gestion des moyens de paiement n'empêchera pas les chaînes de distribution de créer leurs propres cartes et donc de présenter aux banques une monnaie déjà collectée et traitée, ce qui changera singulièrement les rapports entre les banques et la distribution.

De plus, les nouveaux instruments financiers, mis en place en 1985 : *billets de trésorerie* (ou papier commercial) qui permettent aux entreprises disposant d'excès de liquidités à court terme de les prêter à celles qui en manquent, ainsi que *certificats de dépôts* (émis par les banques et souscrits par des entreprises) créent un *pseudo-marché monétaire* à côté du marché interbancaire. Il s'ensuit là aussi une désintermédiation ; les entreprises ont ainsi accès à un marché des liquidités, éventuellement régulé par le MATIF (Marché à terme des instruments financiers), dans des conditions proches du marché monétaire et sans transiter par les banques.

La loi bancaire — comme toute loi ou tout traité — n'offre donc aux banques qu'une apparence de garantie de conserver tout leur rôle, leurs fonctions et leurs pouvoirs ; seule leur gestion efficace et la qualité de leurs services peuvent leur garantir l'avenir.

2. Vers une banque industrie de services rentable ?

En fait, et paradoxalement, les banques n'ont jamais fait autant de profits que de 1982 à 1986. Non pas tellement qu'elles aient amélioré leur gestion, mais surtout du fait de la hausse des taux, générale à travers le monde depuis 1980, et renforcée en France par l'arrivée de la gauche au pouvoir en 1981. En effet, une partie de leurs ressources reste à taux fixe (taux zéro pour les dépôts à vue) alors que leurs emplois sont indexés sur le niveau général des taux. Ces superprofits leur ont permis à la fois d'éponger leurs pertes antérieures du fait des crédits internationaux effectués vers la fin des années soixante-dix (importance des provisions comptabilisées de 1981 à 1985) et de restructurer de façon importante leurs fonds propres, certes insuffisants dans les années antérieures.

Financièrement, les banques françaises sont donc dorénavant mieux structurées ; cependant leur avenir est déterminé par la concurrence interne (entre banques) du fait de la banalisation mais aussi et surtout de la concurrence externe (au secteur et au pays).

Les banques se retrouvent dans la situation de la SNCF qui dispose d'un monopole apparent mais doit jouer très serré en raison de la concurrence de la route et de l'air. La banque doit donc à la fois améliorer les services rendus à la clientèle — déposants et emprunteurs — et réduire ses coûts pour améliorer la rémunération des dépôts tout en diminuant le coût du crédit. Cela signifie qu'elle doit savoir passer, notamment grâce au progrès technologique de l'informatique et de la télématique, au stade d'une véritable industrie de services sur le plan de la gestion des moyens de paiement et inversement savoir devenir un conseiller efficace de sa clientèle tant pour les placements que pour la distribution des crédits.

Cette nouvelle industrie de services qui émerge doit être en mesure de concilier, d'une part, le travail productif de la grande série pour la gestion des moyens de paiement et, d'autre part, le travail de précision d'une activité de conseil. Or tout industriel sait que l'on ne peut pas, au sein d'une même entreprise, faire de la série et du bas de gamme, d'une part, et du travail sur mesure de haut de gamme, d'autre part. On ne peut à la fois être Renault et Rolls-Royce, Prisunic et Fauchon. La nouvelle loi bancaire française permet à chaque banque de faire l'un ou l'autre, mais en réalité il n'existe nulle part de banque véritablement universelle et les banques françaises vont devoir se spécialiser soit à l'anglaise — par type d'activité —, soit à l'allemande — par type de clientèle. La conjonction, en une même période, d'un nouveau cadre réglementaire et d'importantes mutations technologiques doit permettre une mutation importante et nécessaire du système bancaire français.

3. Vers une banque service public ?

Le pouvoir bancaire réside essentiellement dans la distribution du crédit qui lui permet, par l'allocation de la ressource monnaie, d'orienter, consciemment ou inconsciemment, l'économie. Aucun pays industriel n'a pu longtemps laisser les banques fonctionner librement sans tutelle. De plus, le profit bancaire n'est que partiellement dû à la qualité de leur gestion, il est davantage déterminé par les retombées de l'environnement ; la faiblesse d'une monnaie nationale entraîne la hausse des taux qui génère une véritable rente aux banques. Dans son rapport 1982, la Commission de contrôle des banques [7] conclut : « La comparaison, d'une année à l'autre, du taux du marché monétaire, du taux de base bancaire, du rendement moyen des crédits et du coût moyen des dépôts, confirme que la marge sur les opérations avec la clientèle s'accroît nettement en cas de forte hausse des taux. »

Nationalisées ou non, les banques sont donc inéluctablement très dépendantes du pouvoir d'Etat. Et nous avons vu qu'historiquement les liens de domination sont quasi constants dans un sens ou dans l'autre. Dès lors, la banque peut être conçue comme un service public ; elle est d'ailleurs perçue comme telle par une grande partie de ses utilisateurs. Mais il ne s'agit pas pour autant d'en faire une administration protégée. Au contraire, la banque, française notamment (et surtout), doit perdre ses vieilles habitudes de traiter du « papier » (au sens bancaire du terme où, comme nous l'avons vu, on escompte du « papier » au lieu de consentir des crédits) et de s'abriter derrière des règles juridiques pour prendre conscience qu'elle est, à tous les niveaux, un agent économique fondamental et doit se comporter comme tel.

Conclusion

La banque actuelle est doublement fragile. Fragile parce qu'après avoir profité jusqu'en 1980 des taux élevés d'intérêt suscités par la crise, elle subit maintenant les risques d'insolvabilité que cette même crise a fait naître chez ses clients. Toutes les grandes banques mondiales, et notamment les françaises, sont fortements engagées en Argentine, au Brésil, au Mexique, en Pologne, mais aussi auprès de leurs industries nationales aujourd'hui en difficulté : sidérurgie, automobile... Fragile également en raison des mutations technologiques : télématique et nouveaux moyens de paiement. Elles condamneront inéluctablement les banques qui ne sauront s'adapter à temps mais elles risquent également de les affaiblir toutes, en transférant vers d'autres lieux (distribution, sociétés spécialisées dans la télématique) des fonctions qu'elles occupaient jusqu'à présent.

Or, une crise des banques, ou même plus simplement, du fait des interpénétrations, d'une grande banque ou d'un système bancaire national peut entraîner un krach mondial. La défaillance de la Continental Illinois (banque de Chicago) en 1984 ébranla successivement la Manufacturers Hanover, l'Irving Trust et la Marine Midland (respectivement quatrième, quinzième et seizième banque des Etats-Unis). La Chase Manhattan, Citicorp et la Morgan Guarantee Trust même apparurent contaminées. L'engagement de la Continental Illinois sur le Mexique est à l'origine de ce jeu de dominos. Ce mouvement a pu être enrayé par l'action de la FED, mais a été ressenti comme un avertissement à l'ensemble du monde bancaire.

Pour que les banques ne soient pas un facteur de crise mais au contraire un moyen d'en sortir, il faut à la fois régler le problème des relations banque-Etat, faire renaître le métier de banquier et améliorer la productivité bancaire.

Les banques et l'Etat doivent cesser la pratique passée où chacun cherchait à dominer l'autre tout en s'abritant derrière les décisions prises par l'autre. Il faut au contraire chercher un équilibre ou, plus précisément, des « règles du jeu » claires. La dérégulation reaganienne aux Etats-Unis est en train d'ébranler les banques américaines, même les plus grandes ; les *quasi-banques* (ou *near banks*) acquièrent en effet, en dehors de tout contrôle, des pouvoirs financiers supérieurs à ceux des grandes banques. L'ensemble du système financier en est fragilisé.

En France, il s'agit de trouver le juste compromis, nécessairement précaire, entre le monopole — qui conduit trop souvent à la cartellisation — et la dérégulation sauvage qui, en menaçant notre système financier, risque de nous précipiter dans une crise profonde.

Il faut également faire renaître le métier de banquier : celui qui collecte des ressources et alloue des crédits, donc accorde sa confiance. Or la confiance ne peut se réduire à des procédures administratives, à des garanties prises sur des biens ; c'est une attitude résultant d'une sérieuse connaissance de l'autre. Le banquier, et surtout le banquier français est un administratif et un juriste ; il doit savoir devenir un industriel et un gestionnaire. Le nouveau slogan publicitaire de la BNP : « La banque est notre métier » remplace avantageusement celui des années soixante-dix : (« Votre argent m'intéresse »), et il est peut-être de bon augure ; encore demande-t-il à être véritablement mis en œuvre, c'est-à-dire traduit à tous les niveaux de la banque par une formation appropriée de ses agents.

Il faut enfin améliorer la productivité bancaire pour diminuer le coût du crédit. Les véritables rentes de situation dont disposent certains réseaux (le Crédit agricole avec le monopole de la distribution de certains prêts bonifiés, c'est-à-dire de fonds publics, les Caisses d'épargne avec le livret A) n'incitent pas aux économies mais davantage aux guerres intestines et stériles : chacun revendique un privilège en compensation de celui de l'autre. La « monnaie électronique » doit engendrer des gains de productivité ; tout système bancaire national qui prendra du retard dans ce domaine par rapport à ses concurrents sera, si ce n'est condamné, du moins sévèrement pénalisé. Les moyens de paiement coûteux (traites, petits chèques, retraits d'espèces aux guichets) doivent donc rapidement disparaître au profit des moyens économiques. Mais cette mutation ne réussira que si elle permet un gain effectif pour l'ensemble de la collectivité et n'est pas seulement un moyen pour augmenter les profits bancaires. Il serait paradoxal que la tarification apparaisse alors que de nouveaux moyens de paiement plus économiques sont mis en place. Il faudra cependant accepter que des procédures de dissuasion de l'utilisation des moyens de paiement coûteux soient mises en place.

Face à ces enjeux, la banque française dispose d'atouts : elle est puissante, concentrée, bien (et même trop) implantée à l'étranger, relativement abritée de la concurrence des « presque banques » par la loi bancaire et plutôt en avance sur le plan technologique. Pourtant, son avenir n'est pas assuré ; marquée par les origines latines de notre pays, elle choisit souvent le refuge des procédures juridiques ou administratives. Cette attitude, à l'origine de la double mosaïque des institutions et des procédures qui caractérise notre système bancaire, constitue un handicap pour les banques, mais aussi pour l'ensemble de l'économie française.

Bibliographie

[1] ARNAUD P., *La Dette du tiers monde,* La Découverte, collection « Repères », 1986. Un sujet brûlant. Lecture indispensable pour comprendre la crise actuelle.

[2] B*anque* : revue mensuelle qui contient des articles de fond et d'actualité bancaire.

[3] BANQUE DE FRANCE, *La Banque de France et la monnaie,* éditions de la Banque de France, 1983. Petit ouvrage clair et très accessible, régulièrement remis à jour, qui fournit les informations et les chiffres clefs pour comprendre la monnaie.

[4] BELLON B., *Le Pouvoir financier et l'industrie en France,* Seuil, Paris, 1980. Intéressante étude sur les relations banques-Etat-groupes industriels et financiers. L'un des rares ouvrages où l'on aborde ces relations sans considérer qu'il s'agit de domaines étanches.

[5] BELLON B., CHEVALLIER J.M. (ouvrage collectif sous la direction de), *L'Industrie en France*, Flammarion, Paris, 1983. Le chapitre « La banque, une industrie presque comme les autres », écrit par PASTRÉ O., est une présentation originale et intéressante des problèmes de la banque française aujourd'hui.

[6] BOUVIER J., *Un siècle de banque française,* Hachette, Paris, 1973. Une histoire vivante et très documentée, la meilleure si ce n'est la seule référence sur ce thème.

[7] Commission de contrôle bancaire, *Rapport annuel,* 73, rue de Richelieu, 75002 Paris. Un élément indispensable de référence notamment pour la mise à jour des données chiffrées.

[8] Conseil économique et social, *La Monnaie électronique,* éditions du *Journal officiel,* 1982. Excellente étude complète et récente ; ce qu'il faut avoir lu pour comprendre ce sujet d'une brûlante actualité.

[9] Conseil national du crédit, *Rapport annuel,* diffusé par la Banque de France. La référence obligatoire en matière de données statistiques ; des commentaires et tableaux bien faits limitent l'aridité des chiffres.

[10] Dauphin-Meunier A., *Histoire de la banque,* PUF, collection « Que sais-je ? », Paris, 1975. Un bon *Que sais-je,* bien documenté et fourni, surtout sur les origines de la banque. L'histoire récente des banques n'y est en revanche traitée que de façon lapidaire.

[11] Fédération cfdt des banques, *Banques en question,* éditions de la CFDT, 1981. Un recueil quasi complet de tableaux, d'articles et d'analyses. Un ouvrage indispensable pour voir la banque du côté des salariés même si l'on ne partage par les positions de la CFDT.

[12] Marois B., *L'Internationalisation des banques,* Economica, Paris, 1979. Plus un manuel (utile) qu'un ouvrage de réflexion.

[13] Lefranc T., *L'Imposture monétaire,* Anthropos, Paris, 1981. Ouvrage collectif du groupe banque de la Commission économique du parti socialiste, achevé en mai 1981. Intéressant pour connaître les thèses du PS qui apparaissent souvent bien éloignées de celles du gouvernement de gauche.

[14] Vernimmen P., *Gestion et politique de la banque,* Dalloz, Paris, 1981. Manuel de base pour l'apprenti banquier.

[15] Pastré O., *La Modernisation des banques françaises,* La Documentation française, 1985. Un rapport officiel qui, en mettant l'accent sur les facteurs actuels de fragilisation des banques, a été à l'origine de nombreux débats.

Table

DEUXIÈME PARTIE
LES SYSTÈMES BANCAIRES
DES PRINCIPAUX PAYS

TROISIÈME PARTIE
LA GESTION BANCAIRE

QUATRIÈME PARTIE
LES BANQUES ET L'ÉCONOMIE

CINQUIÈME PARTIE
QUELLES BANQUES DEMAIN ?

Composition Facompo, Lisieux
Achevé d'imprimer en avril 1987
sur les presses de l'imprimerie Hérissey
Dépôt légal : avril 1987
Numéro d'imprimeur : 42416
Deuxième tirage : 10 000 à 14 000 exemplaires
ISBN 2-7071-1479-0